Belgique, Pays-Bas, Luxembourg
België, Nederland, Luxemburg
Belgio, Paesi Bassi, Lussemburgo
Bélgica, Países Bajos, Luxemburgo
Belgien, Niederlande, Luxemburg
Belgium, Netherlands, Luxembourg
Belgien, Nederländerna, Luxemburg
Belgia, Holandia, Luksemburg

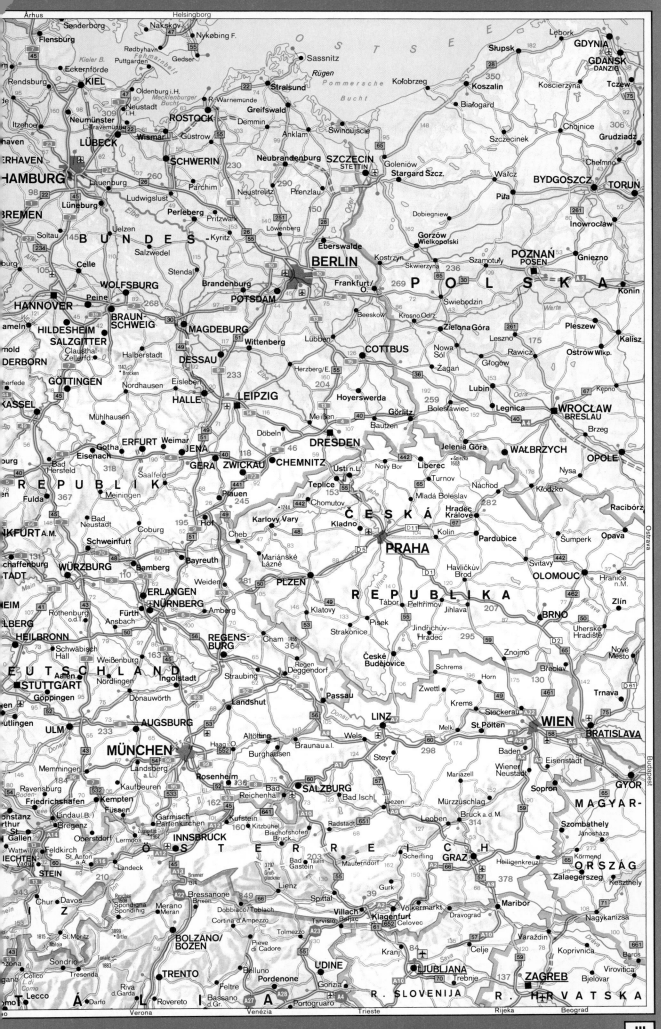

Sommaire · Inhoud · Indice · Índice
Inhaltsverzeichnis · Contents · Innehållsförteckning · Spis treści

Légende · Legenda
Segni convenzionali · Signos convencionales
1:300.000

CIRCULATION - VERKEER | COMUNICAZIONI - TRAFICO

(F) (NL) · (I) (E)

Français / Nederlands	Italiano / Español
Autoroute avec échangeur - Demi-échangeur - Poste d´essence - avec snack - Restaurant - avec motel / Autosnelweg met op- en afritten - met of oprit of afrit - Benzinestation - met snackbar - Restaurant - met motel	Autostrada con raccordi - Semi-raccordo - Stazione di servizio - con posto di ristoro - Ristorante - con motel / Autopista con enlace - Medio enlace - Estación de servicio - con área de descanso - Restaurante - con motel
Seulement une chaussée - en construction - en projet / Slechts een rijbaan - in aanleg - gepland	Solo una carreggiate - in costruzione - progettata / Soló una calzada - en construcción - en proyecto
Route à quatre ou plusieurs voies, à une ou deux chaussées - en construction / Weg met vier of meer rijstroken, een of twee rijbanen - in aanleg	Strada a quattro o più corsie, a una o due carreggiate - in costruzione / Carretera de cuatro o más carriles, de una o dos calzadas - en construcción
Route nationale - Route principale en construction / Rijksweg - Belangrijke hoofdweg - in aanleg	Strada statale - Strada principale di particolare importanza - in costruzione / Carretera nacional - Carretera principal importante - en construction
Route principale - Route secondaire / Hoofdweg - Overige verharde wegen	Strada principale - Strada secondaria / Carretera principal - Carretera secundaria
Chemin carrossable (pratibilité non assurée) - Sentièr / Weg (beperkt berijdbaar) - Voetpad	Strada carrozzabile (non sempre percorribile) - Sentiero / Camino vecinal (sólo transitable con restricciones) - Sendéro
Etat des routes: route sans revêtement - route en très mauvais état / Toestand van het wegdek: onverhard - zeer slecht	Stato delle strade: senza rivestimento antipolvere - in cattive condizioni / Estado de las carreteras: polvoriento - muy malo
Numéro des routes européennes / Europawegnummer	Numero di strada europea / Numero di strada europea
Côte - Col fermé en hiver (de - à) / Helling - Pas 's-winters gesloten (van - tot)	Pendenza - Valico con chiusura invernale (da - a) / Pendiente - Carretera de puerto de montana cerrado en invierno (de - a)
Non recommandé aux caravans - interdit / Voor caravans niet aanbevolen - verboden	Non raccomandabile alle roulottes - divieto di transito alle roulottes / No aconsejable para caravanas - prohibido
Distances sur autoroutes en km / Afstand in km op autosnelwegen	Distanze chilometrica autostradale / Distancias en kilómetros en autopistas
Distances sur autres routes en km / Afstand op overige wegen in km	Distanze chilometrica su altre strade / Distancias en kilómetros en las demás carreteras
Chemin de fer principal - Chemin de fer secondaire (avec gare ou haltes) / Belangrijke Spoorweg - Spoorweg (met station)	Ferrovia principale - secondaria (con stazione o fermata) / Ferrocarril principal - secondario (con estación o apeadero)
Chemin de fer (trafic de marchandises) - Chemin de fer à crémaillère ou funiculaire / Spoorweg (alleen goederenverkeer) - Tandradbaan of kabelspoorweg	Ferrovia (solo per trasporto merci) - Funicolare o ferroviaa cremagliera / Ferrocarril (sólo para transporte de mercansias) - Funicular o cremallera
Téléphérique - Télésiège - Téléski / Kabelbaan - Stoeltjeslift - Skilift	Funivia - Seggiovia - Sciovia / Teleférico - Telesilla - Telesquí
Navette par voie ferrée pour autos - Ligne maritime / Autoverlading - Scheepvaartlijn	Transporto automobili per ferrovia - Linea di navigazione / Ferrocarril con transporte de automóviles - Línea marítima
Ligne maritime avec transport de voitures - Bac autos (rivière) / Scheepvaartlijn met autovervoer - Autoveer over rivier	Linea di navigazione con trasporto auto - Trasporto auto fluviale / Linea marítima con transporte de automóviles - Transpordador fluvial de automóviles
Route touristique - Itinéraire pittoresque / Toeristische route - Landschappelijk mooie route	Strada d´interesse turistico - Percorso panoramico / Carretera turística - Recorrido pintoresco
Péage - Route à péage - Route interdite / Tol - Tolweg - Verboden voor auto's	Stazione a barriera - Strada a pedaggio - Strada chiusa al traffico automobilistico / Peaje - Carretera de peaje - Carretera cerrada al tráfico
Aéroport - Aérodrome - Terrain pour vol à voile - Héliport / Luchthaven - Vliegveld - Zweefvliegveld - Heliport	Aeroporto - Campo di atterraggio - Campo di atterraggio per alianti - Eliporto / Aeropuerto - Aeródromo - Aeródromo de planeadores - Helipuerto

Lokeren · Schep's · E 80 · 10% · X - IV · 75 · 30 · 45 · 35 · 25 · 10 · F · 20 · 21

CURIOSITES - BEZIENSWAARDIGHEDEN | INTERESSE TURISTICO - CURIOSIDADES

Français / Nederlands	Italiano / Español
Localité pittoresque / Zeer bezienswaardige plaats	Località di grande interesse / Población de especial interés
Localité remarquable / Bezienswaardige plaats	Località di notevole interesse / Población de interés
Bâtiment très intéressant / Zeer bezienswaardig gebouw	Costruzione di grande interesse / Monumento artístico de especial interés
Bâtiment remarquable / Bezienswaardig gebouw	Costruzione di notevole interesse / Monumento artístico de interés
Curiosité naturelle intéressant / Zeer bezienswaardig natuurschoon	Curiosità naturale particolarmente interessante / Curiosidad natural de notable interés
Autres curiosités / Overige bezienswaardigheden	Curiosità di altro tipo / Otras curiosidades
Jardin botanique - Jardin zoologique - Parc à gibier / Botanische tuin - Dierentuin - Wildpark	Giardino botanico - Giardino zoologico - Zona faunistica protetta / Jardín botánico - Jardín zoológico - Reserva de animales
Parc national, parc naturel - Point de vue / Nationaal park, natuurpark - Uitzichtpunt	Parco nazionale, parco naturale - Punto panoramico / Parque nacional, parque natural - Vista panorámica
Château- fort, Château - Monastère - Église, chapelle - Ruines / Burcht, slot - Klooster - Kerk, kapel - Ruïnes	Castello - Monastero - Chiesa, cappella - Rovine / Castillo, palacio - Monasterio - Iglesia, capilla - Ruinas
Tour - Tour radio ou télévision - Monument - Grotte / Toren - Radio- of televisietoren - Monument - Grot	Torre - Pilone radio o TV - Monumento - Grotta / Torre - Torre de radio o de TV - Monumento - Cueva
Phare - Bâteau- phare - Moulin à vent / Vuurtoren - Lichtschip - Windmolen	Faro - Nave faro - Molino a vento / Faro - Buque faro - Molino de viento

BRUXELLES · BINCHE · *La Commanderie* · Oidonk · St. Rombout · Grottes · *Citadelle*

AUTRES INDICATIONS - OVERIGE INFORMATIE | ALTRI SEGNI - OTROS DATOS

Français / Nederlands	Italiano / Español
Auberge de jeunesse - Motel - Hôtel ou auberge isolé - Refuge de montagne / Jeugdherberg - Motel - Afgelegen hotel of restaurant - Berghut	Ostella della gioventù - Motel - Albergo o locanda isolati - Rifugio montagna / Albergue de juventud - Motel - Hotel o fonda aislados - Refugio de montana
Terrain de camping, permanent - saisonnier / Camping, het gehele jaar - 's-zomers	Campeggio aperto tutto l´anno - stagionale / Camping todo el año - sólo en verano
Plage recommandée - Baignade - Piscine - Station thermale / Strand met zwemgelegenheid - Strandbad - Openlucht zwembad - Geneeskrachtige badplaats	Spiaggia - Balneare - Piscina (all´aperto) - Terme / Playa - Banos (playa) - Piscina descubierta - Balneario medicinal
Terrain de golf - Port de plaisance - Pêche sous-marine interdite / Golfterrein - Jachthaven - Jagen onder water verboden	Campo da golf - Attraco natanti - Caccia subacquea divieto / Campo de golf - Puerto deportivo - Pesca submarina prohibida
Ferme - Village de vacances / Vrijstaande boerderij - Vakantiedorp	Fattoria isolata - Località di soggiorno / Granja aislada - Centro de vacaciones
Frontière d´Etat - Passage frontalier - Limite des régions / Rijksgrens - Grensovergang - Regionale grens	Confine di stato - Passaggio di frontiera - Frontera regional / Frontera de estado - Paso fronterizo - Frontera regional
Mer recouvrant les hauts-fonds - Sable et dunes / Bij eb droogvallende gronden - Zand en duinen	Basso fondale - Sabbia e dune / Costa de aguas bajas - Arena y dunas
Bois - Lande / Bos - Heide	Bosco - Brughiera / Bosque - Brezal
Glacier - Zone interdite / Gletsjer - Verboden gebied	Ghiacciaio - Zona vietata / Glaciar - Zona prohibida

Zeichenerklärung · Legend
Teckenförklaring · Objaśnienia znaków
1:300.000

VERKEHR – TRAFFIC | TRAFIK – KOMUNIKACJA

(D) (GB) / **(S) (PL)**

Autobahn mit Anschlußstelle - Halbanschlußstelle - Tankstelle - mit Kleinraststätte - Rasthaus - mit Motel
Motorway with junction - Half junction - Filling station - with snackbar - Restaurant - with motel
Motorväg med trafikplats - Endast av- eller påfart - Bensinstation - med servering - Värdshus - med motell
Autostrady z rozjazdami - z częściowymi rozjazdami - Stacje paliw - z barami - Restauracje - z motelami

Nur einbahnig - in Bau - geplant
Only single carriageway - under construction - projected
Endast en vägbana - under byggnad - planerad
Autostrady jednojezdniowe - w budowie - projektowane

Vier- oder mehrspurige Autostraße, ein- oder zweibahnig - in Bau
Road with four or more lanes, single or dual carriageway - under construction
Väg med fyra eller flera körfält, en eller två vägbanor - under byggnad
Drogi szybkiego ruchu, cztery pasma i więcej - w budowie

Bundes- bzw. Staats- oder Nationalstraße - Wichtige Hauptstraße - in Bau
National or federal road - Major main road - under construction
Genomfartsled - Viktig huvudled - under byggnad
Przelotowe drogi główne, drogi krajowe - Ważniejsze drogi główne - w budowie

Hauptstraße - Nebenstraße
Main road - Secondary road
Huvudled - Sidogata
Drogi główne - Drogi drugorzędne

Fahrweg (nur bedingt befahrbar) - Fußweg
Practicable road (restricted passage) - Footpath
Väg (delvis användbar för biltrafik) - Vandringsled
Drogi inne (o ograniczonej przejezdności) - Ścieżki

Straßenzustand: nicht staubfrei - sehr schlecht
Road condition: unsealed - very bad
Vägbeskaffenhet: ej dammfritt - mycket daligt
Stan dróg: drogi pylące - drogi w bardzo złym stanie

Europastraßennummer
Number of main european route
Europavägnummer
Numery dróg europejskich

E 80

Steigung - Paßstraße mit Wintersperre (von - bis)
Gradient - Mountain pass closed in winter (from - to)
Stigning - Väg över pass med vintersparrtid (fran - till)
Strome podjazdy - Przełęcze nieprzejezdne zimą (od - do)

10% — **X - IV**

Für Caravans nicht empfehlenswert - verboten
Not suitable - closed for caravans
Väg ej lämplig för husvagn - spärrad för husvagn
Drogi nie zalecane dla przyczep - zamknięte

Kilometrierung an Autobahnen
Distances on motorways in km
Afstånd i km vid motorvägar
Odległości w kilometrach na autostradach

75 — **30** — **45**

Kilometrierung an übrigen Straßen
Distances on other roads in km
Afstånd i km vid övriga vägar
Odległości w kilometrach na innych drogach

35 — **25** — **10**

Hauptbahn - Nebenbahn (mit Bahnhof bzw Haltepunkt)
Main railway - Other railway (with station or stop)
Huvudjärnväg - Mindre viktig järnväg (med station resp. hållplats)
Koleje główne - Koleje drugorzędne (z dworcami lub przystankami)

Eisenbahn (nur Güterverkehr) - Zahnrad- oder Standseilbahn
Railway (freight haulage only) - Rackrailway or cabin lift
Järnväg (endast godstransport) - Linbana eller bergbana
Koleje towarowe - Koleje zębate lub Koleje linowo-terenowe

Seilschwebebahn - Sessellift - Skilift
Cable lift - Chair lift - T-bar
Kabinbana - Stollift - Släplift
Koleje linowe (kabinowe) - Wyciągi krzesełkowe - Wyciągi narciarskie

Autoverladung - Schiffahrtslinie
Railway ferry for cars - Shipping route
Järnväg med biltransport - Batförbindelse
Przeładunek samochodów - Linie żeglugi pasażerskiej

Schiffahrtslinie mit Autotransport - Autofähre an Flüssen
Car ferry route - Car ferry on river
Båtförbindelse med biltransport - Flodfärja
Linie żeglugi promowej - Promy rzeczne

F

Touristenstraße - Landschaftlich schöne Strecke
Tourist road - Scenic road
Turistled - Naturskön vägstrecka
Drogi turystyczne - Drogi krajobrazowe

Mautstelle - Gebührenpflichtige Straße - für Kfz gesperrt
Toll - Toll road - Road closed for motor traffic
Vägavgift - Avgiftsbelagd väg - Väg sperrad för biltrafik
Pobieranie - Drogi płatne - zamknięte dla pojazdów silnikowych

× × × × × ×

Flughafen - Flugplatz - Segelflugplatz - Hubschrauberlandeplatz
Airport - Airfield - Gliding field - Heliport
Större trafikflygplats - Flygplats - Segelflygfält - Landningsplats för helikopter
Lotniska - Lądowiska - Pola szybowcowe - Lądowiska helikopterów

Lokeren ·20· ·21· **🅣 🅣** **Schep's** ⬤ ⬤

SEHENSWÜRDIGKEITEN – PLACES OF INTEREST | SEVÄRDHETER – INTERESUJĄCE OBIEKTY

Besonders sehenswerter Ort
Place of particular interest
Mycket sevärd ort
Miejscowości szczególnie interesujące

BRUXELLES

Sehenswerter Ort
Place of interest
Sevärd ort
Miejscowości interesujące

BINCHE

Besonders sehenswertes Bauwerk
Building of particular interest
Mycket sevärd byggnad
Budowle szczególnie interesujące

La Commanderie

Sehenswertes Bauwerk
Interesting building
Sevärd byggnad
Budowle interesujące

⚓ *Ooidonk*   ⚑ *St. Rombout*

Besondere Natursehenswürdigkeit
Natural object of particular interest
Särskilt intressant natursevärdhet
Szczególnie interesujące obiekty naturalne

∧ **Grottes**

Sonstige Sehenswürdigkeit
Other object of interest
Annan sevärdhet
Inne interesujące obiekty

✳ *Citadelle*

Botanischer Garten - Zoologischer Garten - Wildgehege
Botanical gardens - Zoological gardens - Game park
Botanisk trädgård - Zoologisk trädgård - Djurpark
Ogrody botaniczne - Ogrody zoologiczne - Zwierzyńce

Nationalpark, Naturpark - Aussichtspunkt
Nature park - Viewpoint
Nationalpark, naturpark - Utsiktsplats
Parki narodowe, parki krajobrazowe - Punkty widokowe

Burg, Schloß - Kloster - Kirche, Kapelle - Ruinen
Castle - Monastery - Church, chapel - Ruins
Borg, slott - Kloster - Kyrka, kapell - Ruiner
Zamki, pałace - Klasztory - Kościoły, Kaplice - Ruiny

Turm - Funk- oder Fernsehturm - Denkmal - Höhle
Tower - Radio- or TV tower - Monument - Cave
Torn - Radio- eller TV- torn - Monument - Grotta
Wieże - Wieże RTV - Pomniki - Jaskinie

Leuchtturm - Feuerschiff - Windmühle
Lighthouse - Lightship - Windmill
Fyr - Fyrskepp - Väderkvarn
Latarnie morskie - Latarniowce - Młyny wietrzne

SONSTIGES – OTHER INFORMATION | ÖVRIGT – INNE INFORMACJE

Jugendherberge - Motel - Alleinstehendes Hotel oder Gasthaus - Berghütte
Youth hostel - Motel - Isolated hotel or inn - Mountain hut
Vandrarhem - Motel - Enslig hotell eller gästgiveri - Raststuga
Schroniska młodzieżowe - Motele - Samotnie stojące hotele lub gościńce - Schroniska górskie

Campingplatz, ganzjährig - nur im Sommer
Camping site, permanent - seasonal
Campingplats hela året - endast under sommaren
Campingi całoroczne - czynne tylko latem

Guter Badestrand - Strandbad - Schwimmbad - Heilbad
Recommended beach - Bathing place - Swimming pool - Spa
Badstrand - Strandbad - Friluftsbad - Badort
Plaże - Kąpieliska - Baseny - Uzdrowiska

Golfplatz - Boots- und Yachthafen - Unterwasserjagd verboten
Golf course - Harbour for boats and yachts - Underwater fishing prohibited
Golfbana - Småbåtshamn - Undervattensjakt förbjuden
Pola golfowe - Porty dla łodzi i żaglówek - Rybołówstwo zabronione

⚓ φ

Einzelhof - Feriendorf
Isolated building - Holiday bungalows
Gard - Stugby
Pojedyncze zagrody - Wsie letniskowe

Staatsgrenze - Grenzübergang - Verwaltungsgrenze
International boundary - Border crossing point - Administrative boundary
Statsgräns - Gränsövergång - Regionsgräns
Granice państw - Przejścia graniczne - Granice administracyjne

Wattenmeer - Sand und Dünen
Tidal flat - Sand and dunes
Omrade som torrlägges vid ebb - Sand och dyner
Watty - Piaski i wydmy

Wald - Heide
Forest - Heath
Skog - Hed
Lasy - Wrzosowiska

Gletscher - Sperrgebiet
Glacier - Restricted area
Glaciär - Spärrzon
Lodowce - Obszary zamknięte

Carte d'assemblage · Overzichtskaart · Quadro d'unione · Mapa Índice
Kartenübersicht · Key map · Kartöversikt · Skorowidz arkuscy
1:300.000

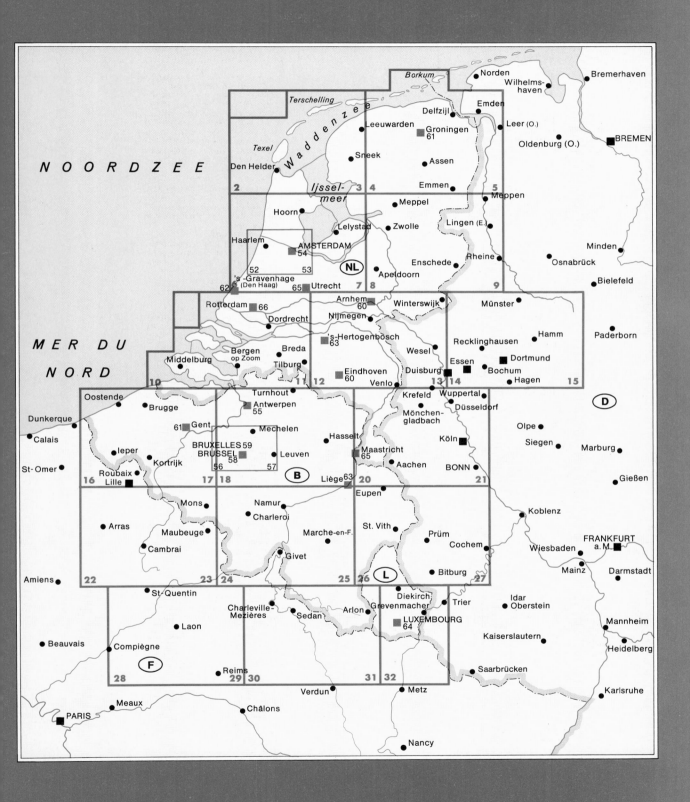

1:300.000

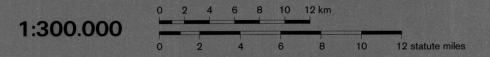

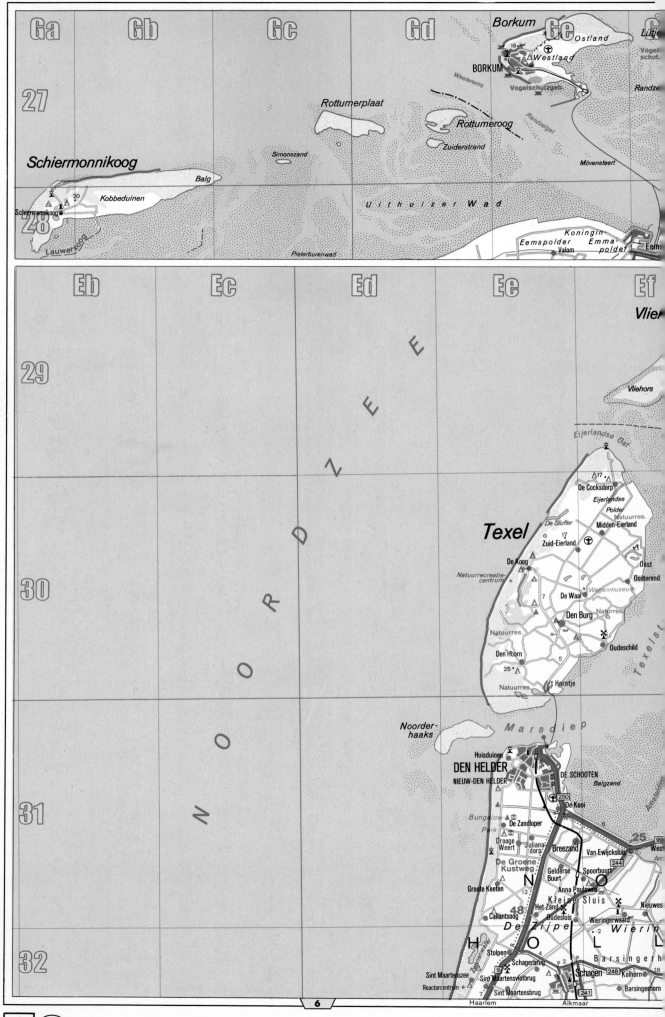

Ga Gb Gc Gd Ge G

Borkum
Ostland
18
Westland
BORKUM
Westerems
Vogelschutzgeb.
Randze
Vogel
schut:

27

Rottumerplaat

Rottumeroog
Randzelgat
Zuiderstrand

Simonszand
Mövensteert

Schiermonnikoog

Balg

Kobbeduinen
20
Schiermonnikoog
U i t h u i z e r W a d

28

Lauwersoog
Pieterburenwad

Koningin
Eemspolder *Emma*
Eemspolder *Valom* *polder* *Eems*

Eb Ec Ed Ee Ef

Vlier

29

Vliehors

Eijerlandse Gat

17

De Cocksdorp

Eijerlandse
Polder
Natuurres.
De Slufter
Midden-Eierland
Texel
17
Zuid-Eierland
De Koog
Oost
Natuurrecreatie-
centrum
Oosterend

30

Wagenmuseum
7 De Waal
Natuurres
Den Burg
Natuurres.

Natuurres.
Oudeschild
Den Hoorn
5
25
't Horntje
Natuurres.
Texelst

Noorder-
haaks
M a r s d i e p

Huisduinen
DEN HELDER
DE SCHOOTEN
NIEUW-DEN HELDER
Balgzand

31

250 De Kooi

Bungalow
Park
De Zandloper
N
O
Drooge
Weert
Juliana-
dorp
Breezand
Van Ewijcksluis
25 West
99
De Groene
Kustweg
244 *Am*
Gelderse
Buurt
Spoorbuurt
Groote Keeten
Anna Paulowna
N
O
Kleine Sluis
Nieuwes
Het Zand
48
Callantsoog
Oudesluis
Wieringerwaard
Wierin
De Zijpe
H
O
L
L
Stolpen
Barsingerh

32

Sint Maartenszee
9 Schagerbrug
Sint Maartensvlotbrug
Schagen 248 Kolhorn 18
Reactorcentrum
Sint Maartensbrug
241
Barsingerr
Haarlem
Alkmaar

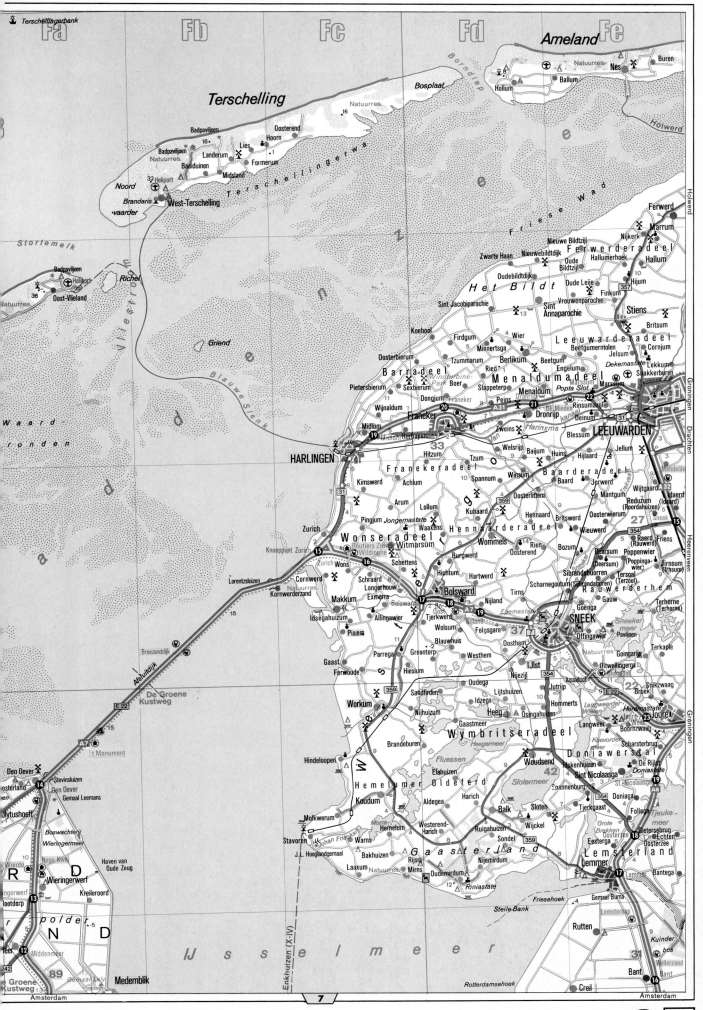

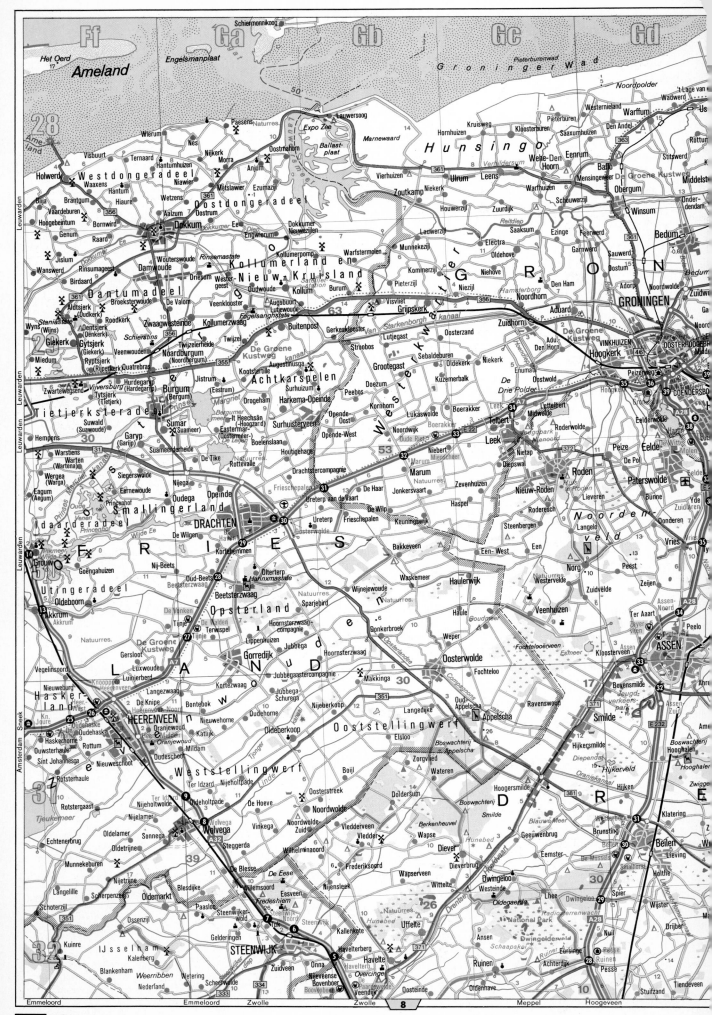

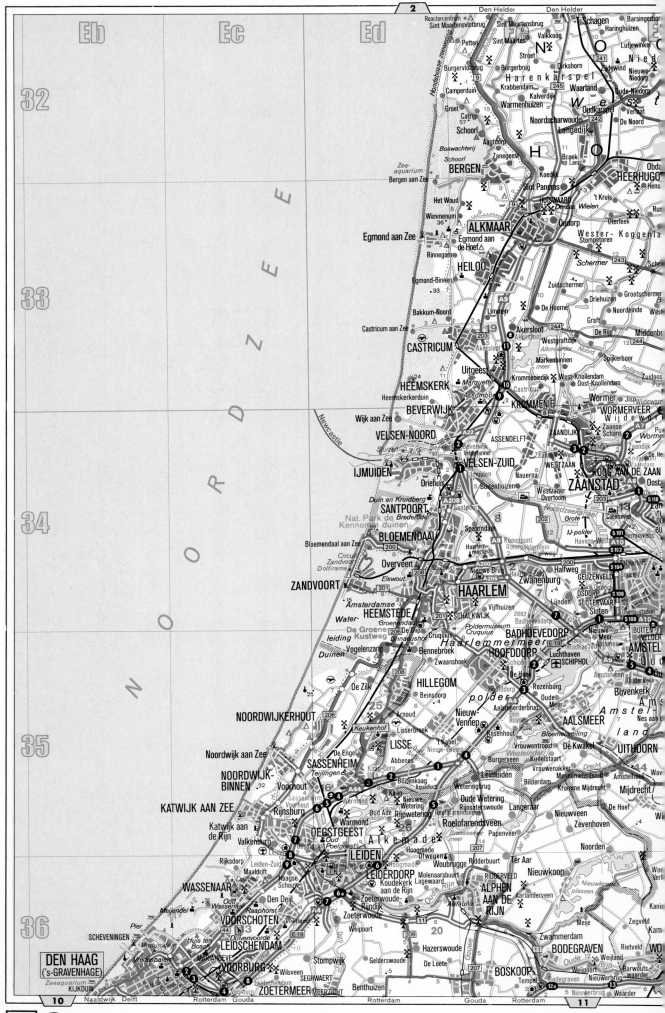

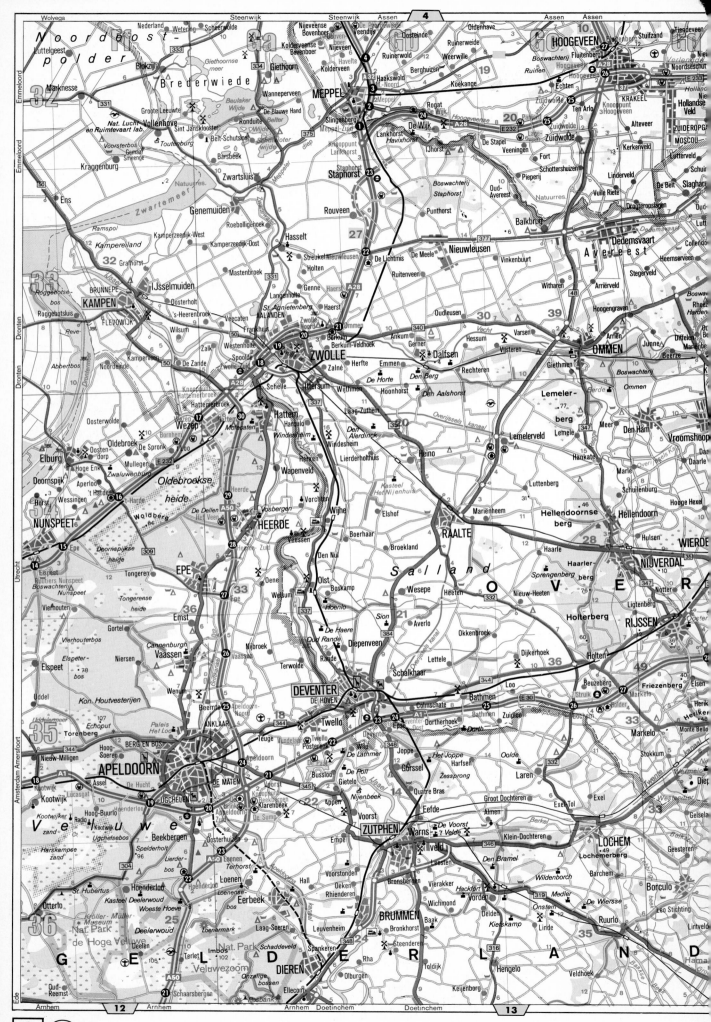

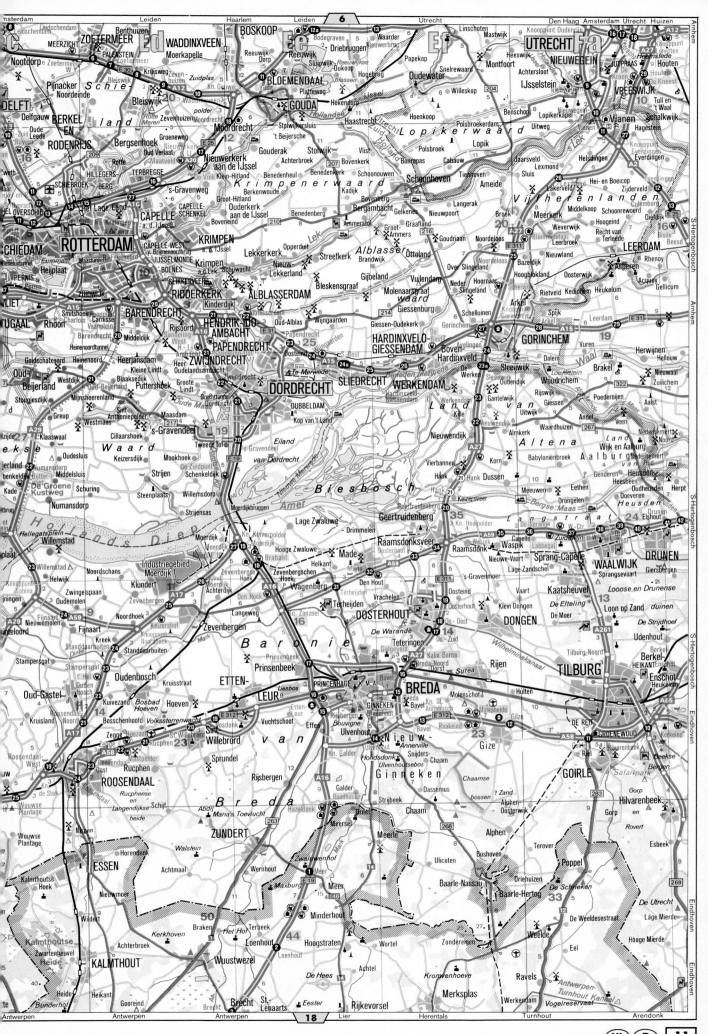

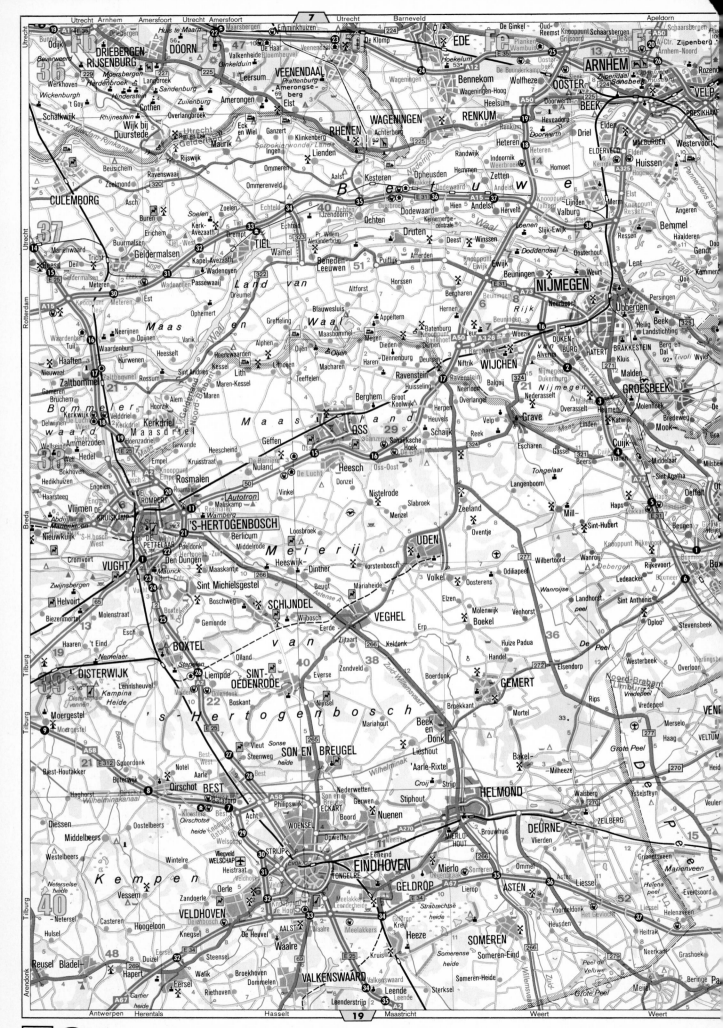

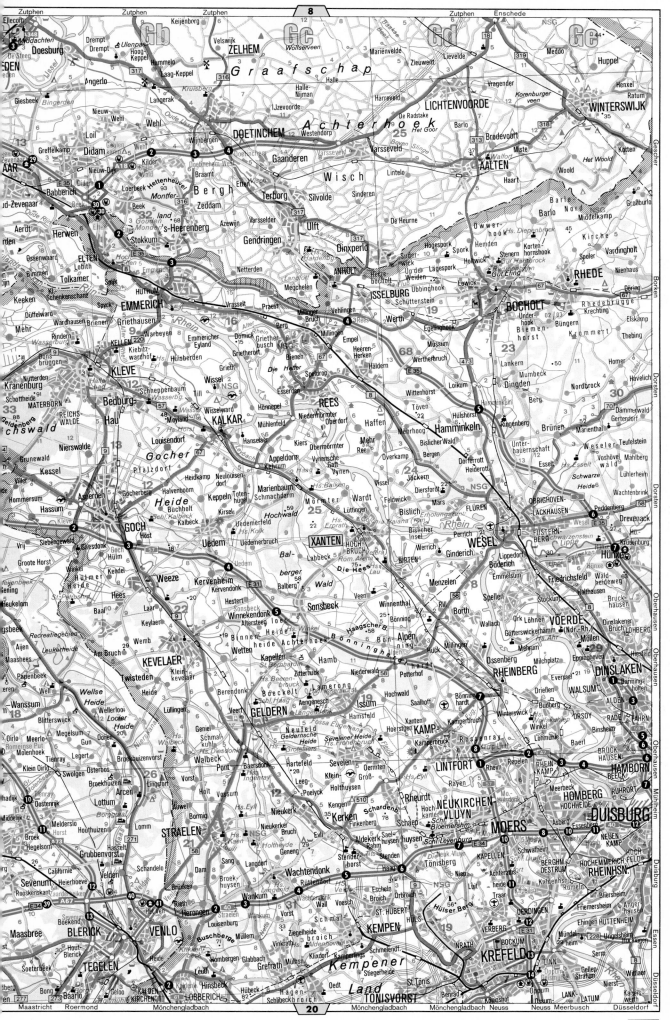

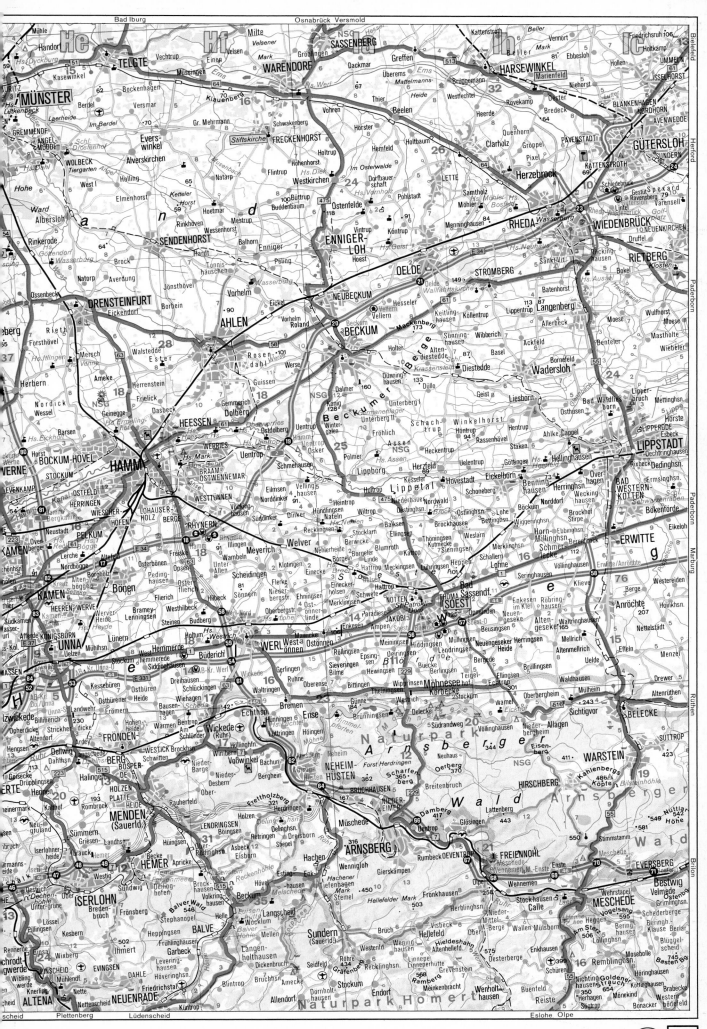

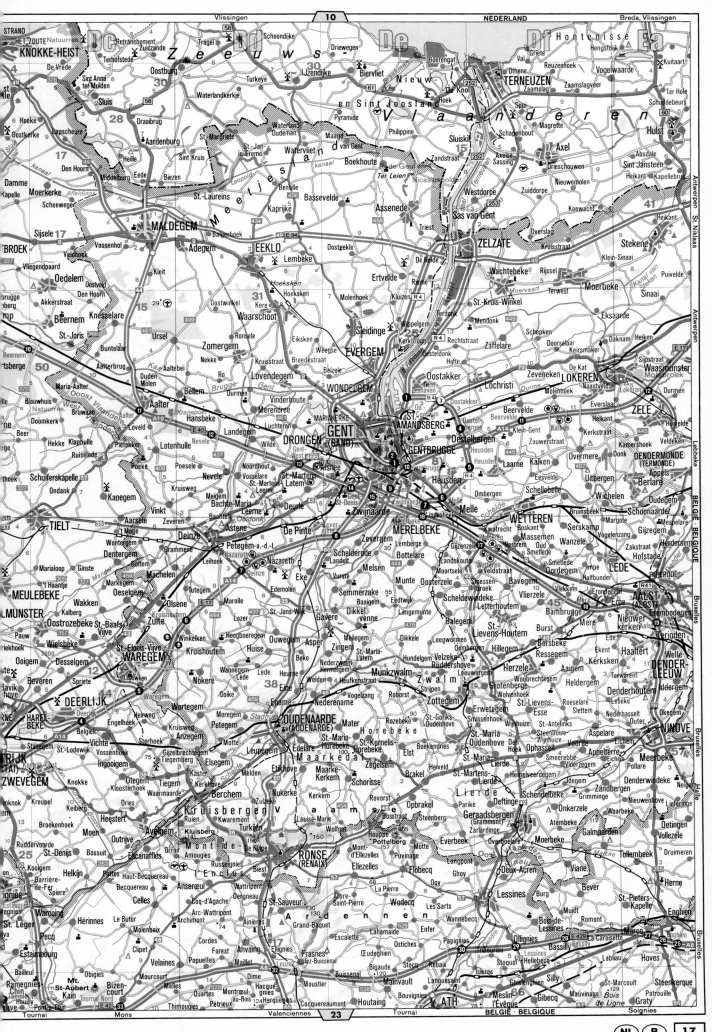

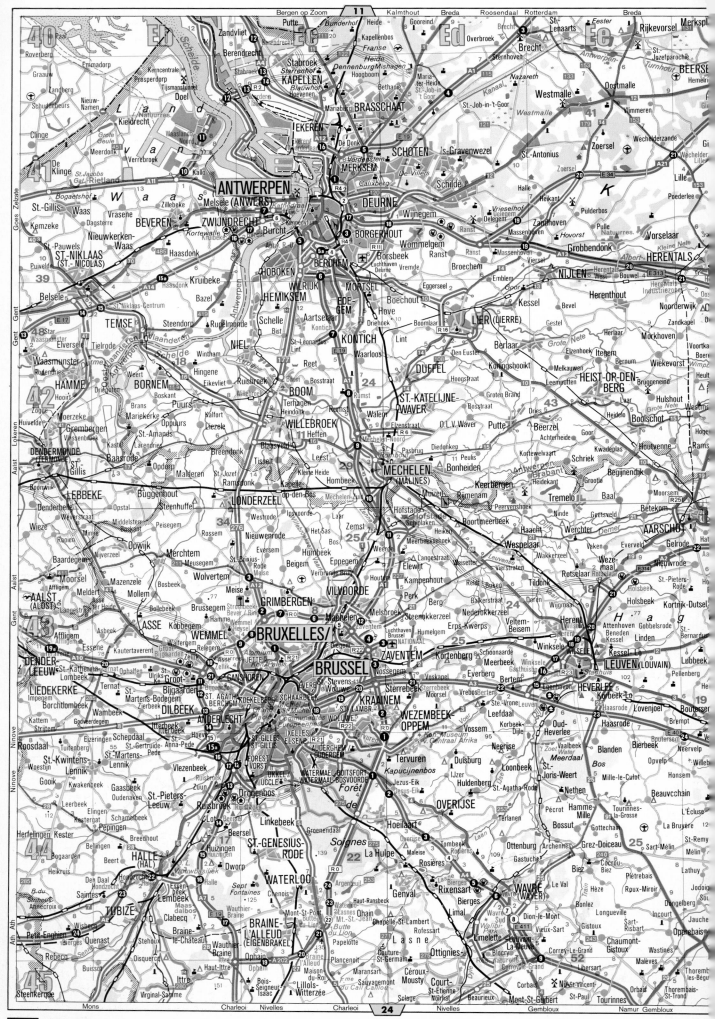

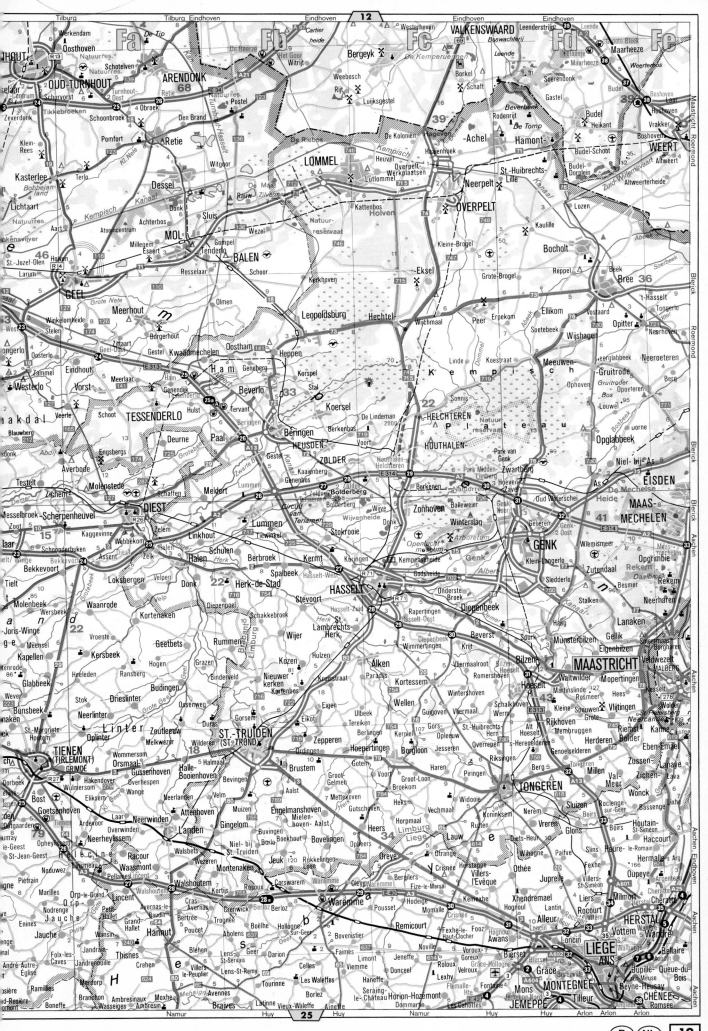

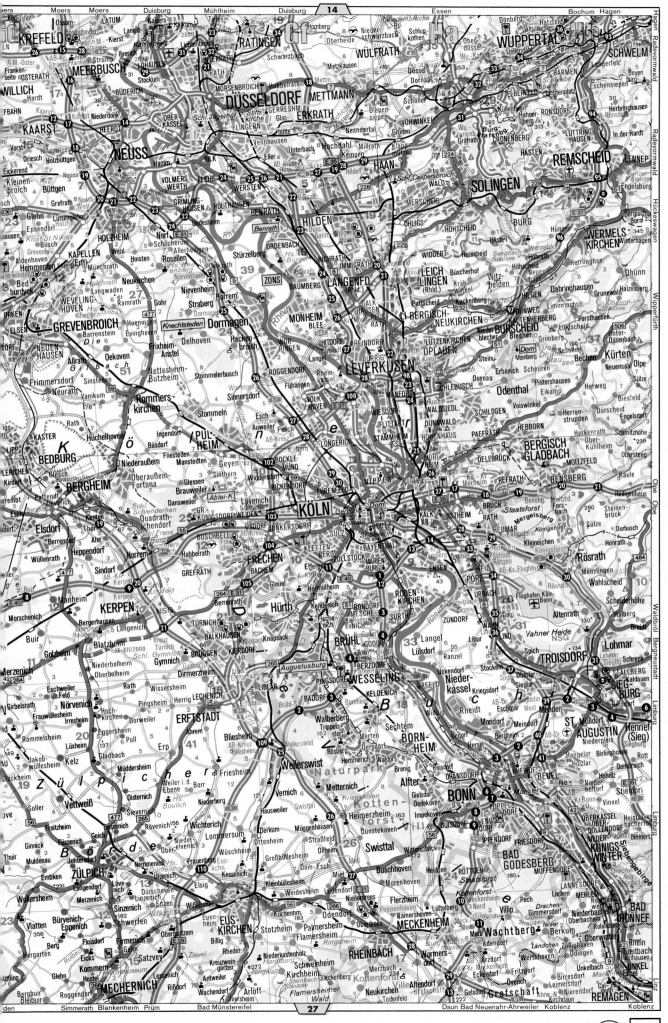

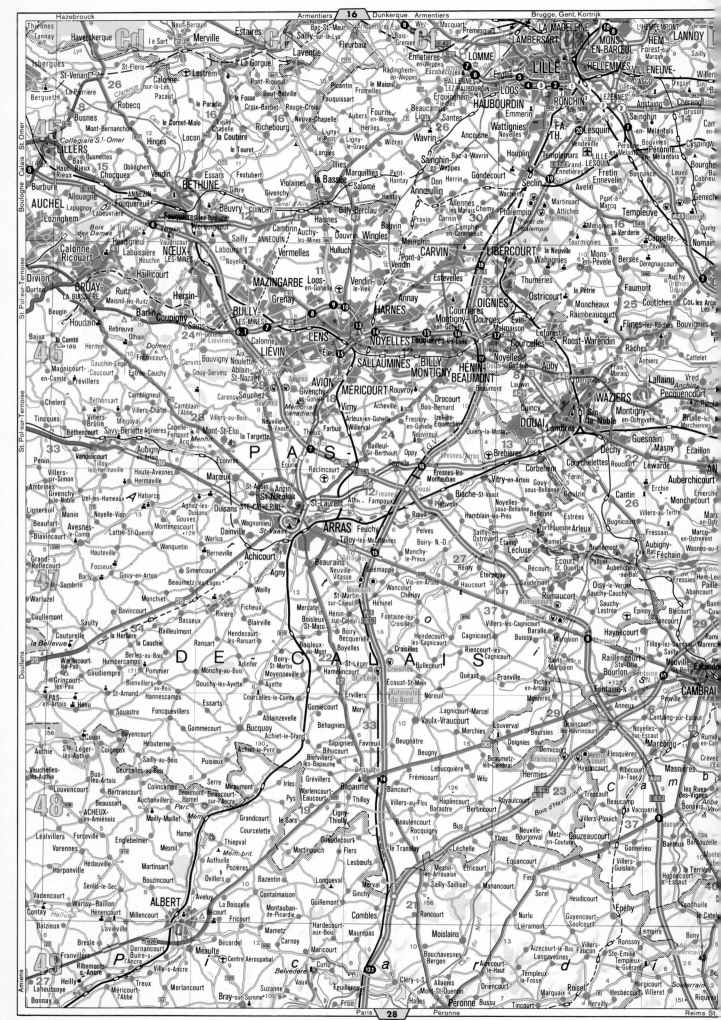

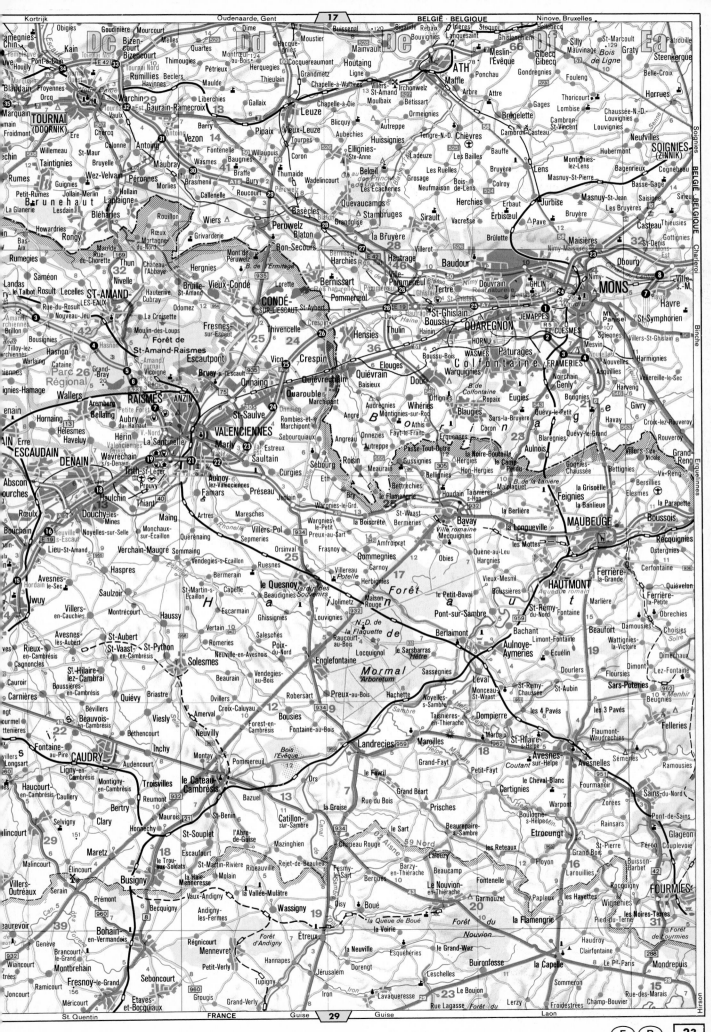

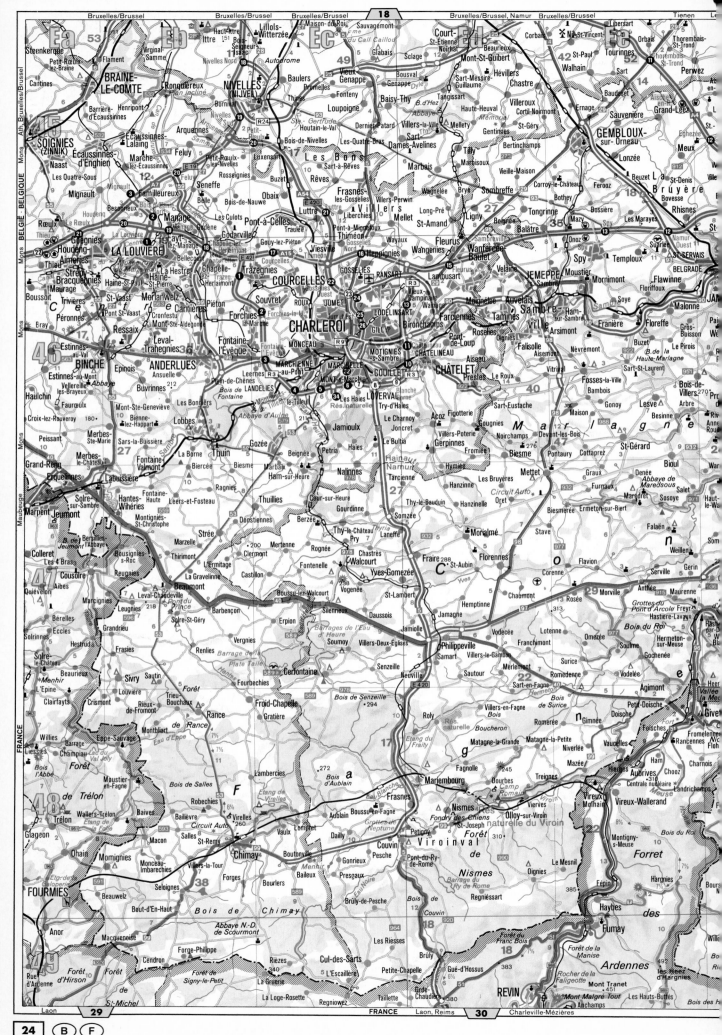

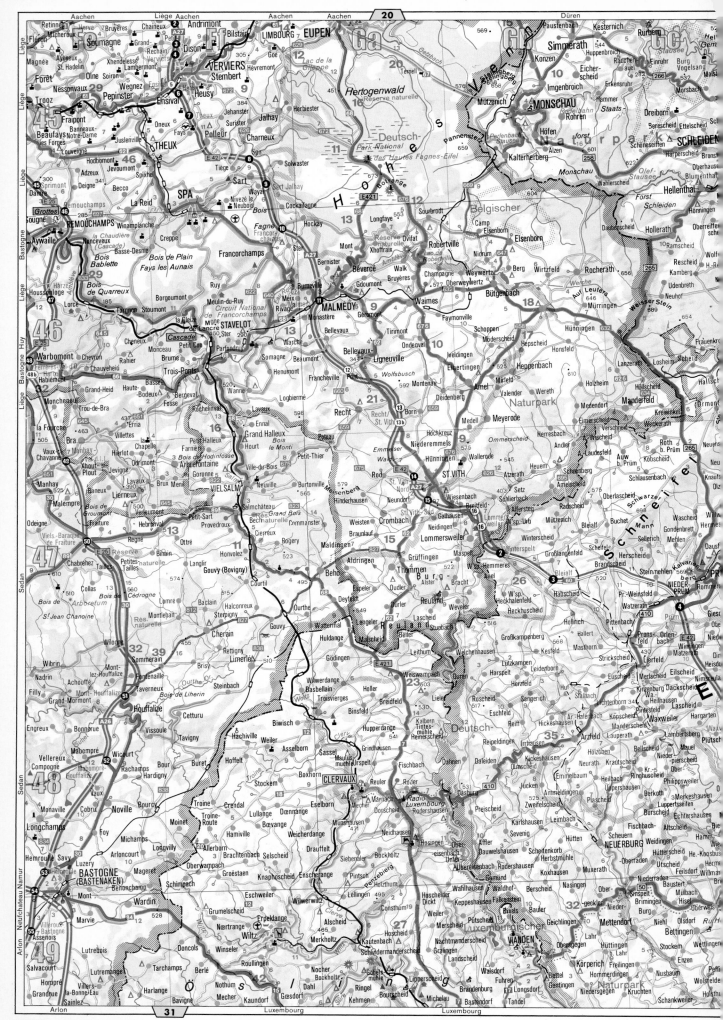

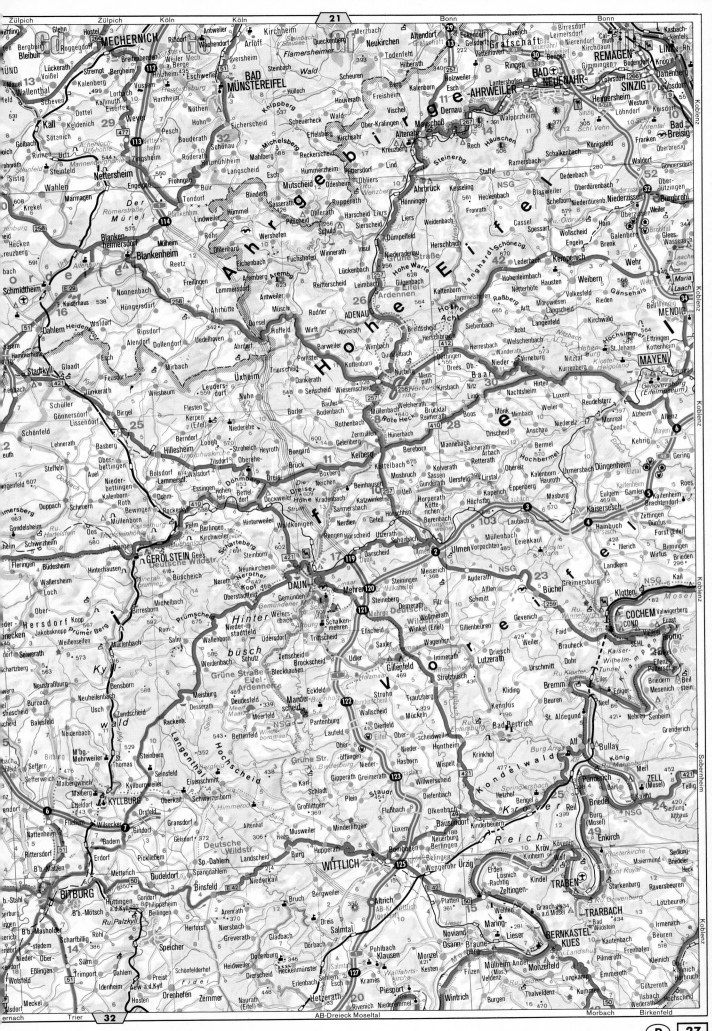

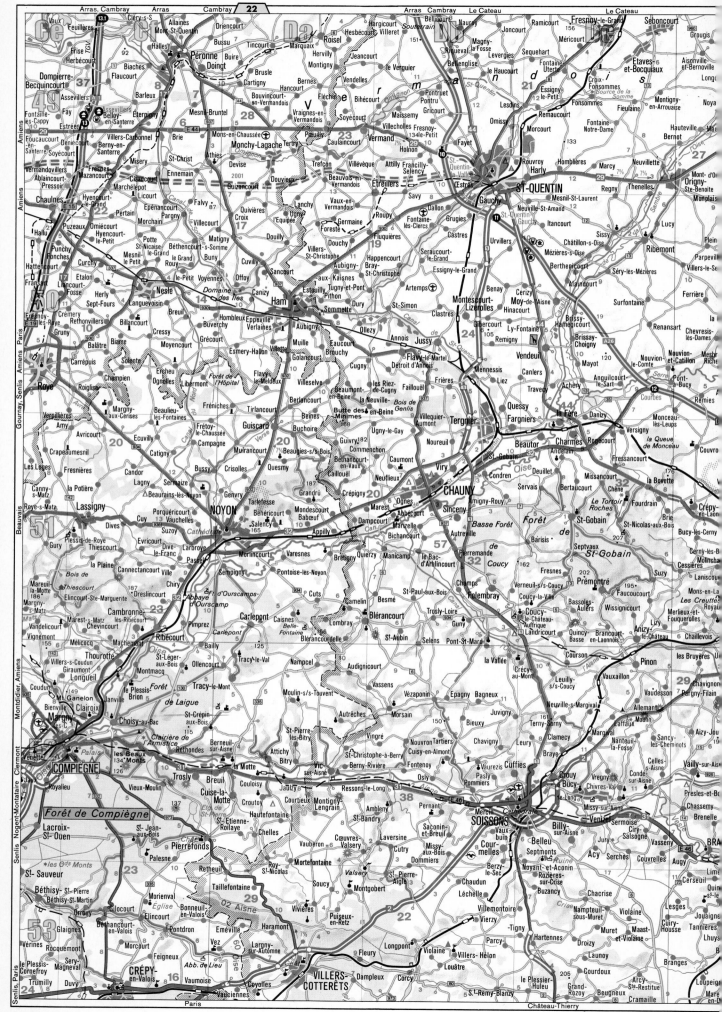

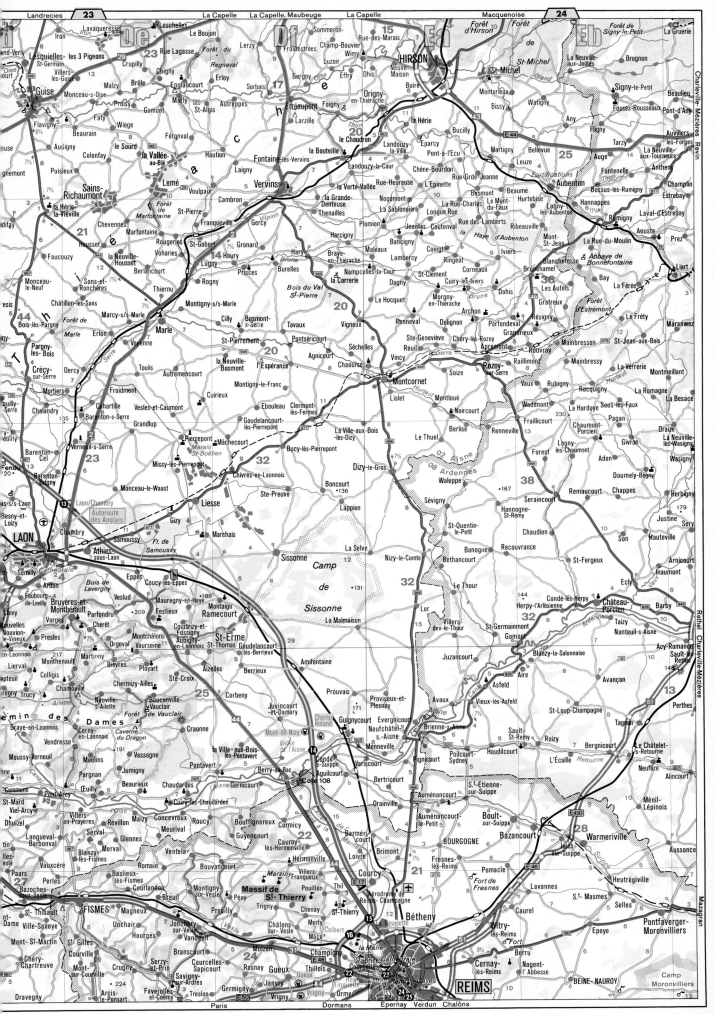

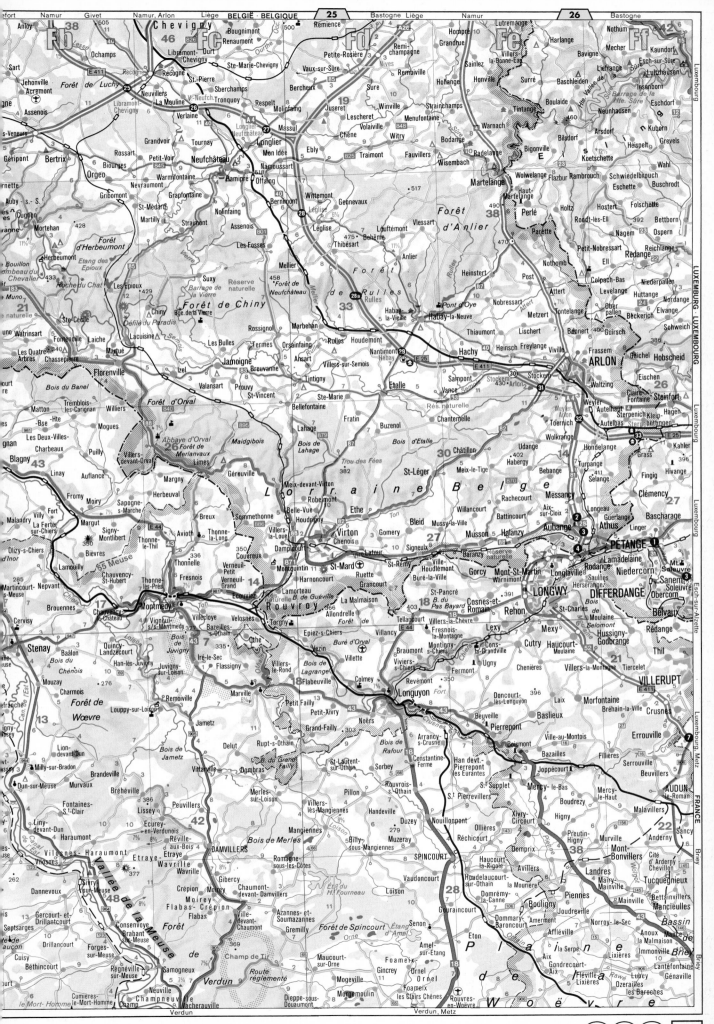

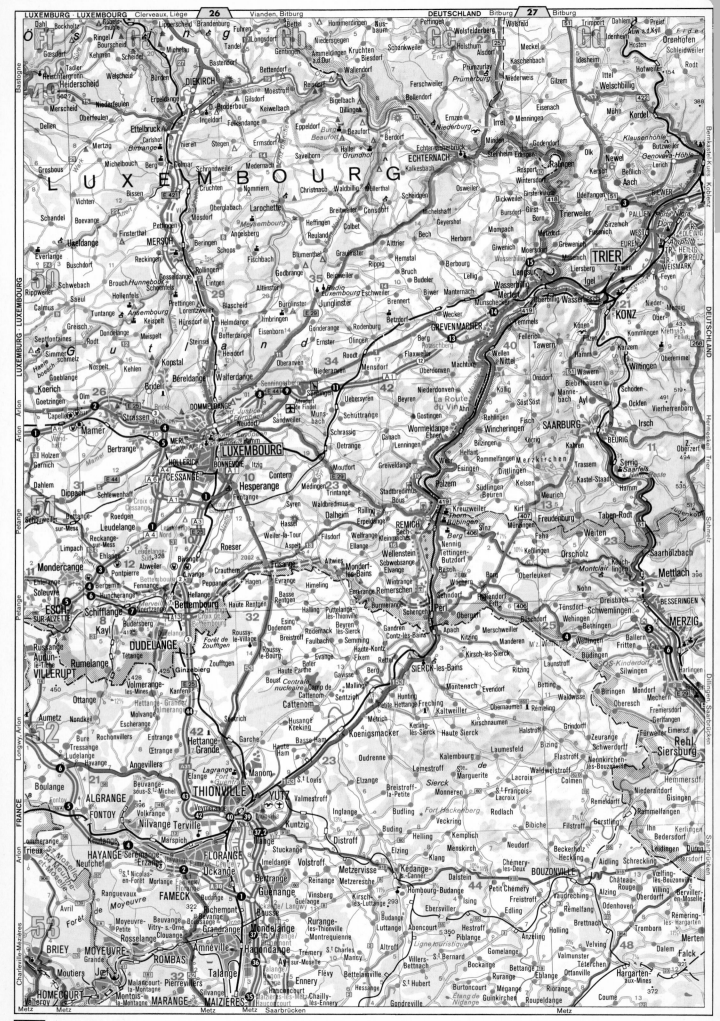

Index des localités · Register van plaatsnamen
Elenco dei nomi di località · Índice de topónimos
Ortsnamenverzeichnis · Index of place names
Ortnamnsförteckning · Skorowidz miejscowości

Aaigem	**B**	(O-V)	17	Df 43
①	②	③	④	⑤

Baalder	**NL**	(O)	9	Ge 33
①	②	③	④	⑤

Calmus	**L**	(D)	32	Ff 50
①	②	③	④	⑤

	①	②	③
Ⓕ	Localité	Nationalité	Province
ⓃⓁ	Plaatsnaam	Nationaliteit	Provincie
Ⓘ	Località	Nazionalità	Provincia
Ⓔ	Topónimo	Nacionalidad	Provincia
Ⓓ	Ortsname	Nationalität	Provinz
ⒼⒷ	Place name	Country	Province
Ⓢ	Ortnamn	Nationalitet	Provins
ⓅⓁ	Nazwa miejscowości	Państwo	Prowincja

④
N° de page
Paginanummer
N° di pagina
Nro. de página

Seitenzahl
Page number
Sidnummer
Numer strony

⑤
Coordonnées
Zoekveld-gegevens
Riquardo nel quale si trova il nome
Coordenadas de la casilla de localización

Suchfeldangabe
Grid search reference
Kartrutangivelse
Numeracja skorowidzowa

③
B   Belgïe, Belgique

A	Antwerpen	**LIE**	Liège	**N**	Namur
BR	Brabant	**LIM**	Limburg	**O-V**	Oost-Vlaanderen
H	Hainaut	**LU**	Luxembourg	**W-V**	West-Vlaanderen

L   Luxembourg

D	Diekirch	**GRE**	Grevenmacher	**LUX**	Luxembourg

NL   Nederland

DR	Drenthe	**GRO**	Groningen	**O**	Overijssel
F	Flevoland	**L**	Limburg	**U**	Utrecht
FR	Friesland	**N-B**	Noord-Brabant	**Z**	Zeeland
GLD	Gelderland	**N-H**	Noord-Holland	**Z-H**	Zuid-Holland

Beigem **B** (BR) 18 Ec 43
Beignée **B** (H) 24 Ec 46
Beijersche, Het **NL** (Z-H) 11 Ee 37
Beilen **NL** (DR) 4 Gd 31
Beiler **L** (D) 26 Ga 47
Beinsdorp **NL** (N-H) 6 Ed 35
Beisem, Veltem- **B** (BR) 18 Ed 43
Beitem **B** (W-V) 16 Da 43
Beke **B** (O-V) 17 Dd 43
Bekegem **B** (W-V) 16 Da 42
Bekkerzeel **B** (BR) 18 Eb 43
Bekkevoort **B** (BR) 19 Ef 43
Belfeld **NL** (L) 20 Ga 41
Belgiek **B** (W-V) 17 Dc 43
Belgrade **B** (N) 24 Ef 46
Belhutte **B** (W-V) 16 Cf 42
Bellaire **B** (LIE) 26 Fe 45
Belle **B** (H) 24 Eb 45
Bellecourt **B** (H) 24 Eb 46
Belle-Croix **B** (H) 24 Ea 45
Bellefontaine **B** (LU) 31 Fc 51
Bellefontaine **B** (N) 30 Ef 49
Bellegem **B** (W-V) 17 Db 44
Bellegrade **B** (LIE) 25 Fb 46
Bellem **B** (O-V) 17 Dd 42
Belle-Maison **B** (LIE) 25 Fb 46
Bellevaux **B** (LIE) 26 Ga 46
Bellevaux **B** (LU) 30 Fa 49
Bellevaux-Ligneuville **B** (LIE) 26 Ga 46
Belle-Vue **B** (LU) 31 Fd 51
Bellingen **B** (BR) 18 Eb 44
Bellingwedde **NL** (GRO) 5 Ha 30
Bellingwolde **NL** (GRO) 5 Hb 30
Belœil **B** (H) 23 De 45
Belsele **B** (O-V) 18 Ea 42
Belt, De **NL** (O) 8 Gd 33
Beltrum **NL** (GLD) 8 Gd 36
Belt-Schutsloot **NL** (O) 8 Ga 32
Belva **B** (H) 17 Db 44
Belvaux **B** (N) 25 Fb 48
Belvaux **L** (LUX) 31 Ff 51
Belzele **B** (O-V) 17 De 42
Bemelen **B** (LIM) 20 Fe 43
Bemelen **NL** (L) 20 Fe 43
Bemmel **NL** (GLD) 12 Ff 37
Ben-Ahin **B** (LIE) 25 Fb 45
Bende **B** (LU) 25 Fc 46
Benedenberg **NL** (Z-H) 11 Ee 37
Benedenheul **NL** (Z-H) 11 Ee 37
Benedenkerk **NL** (Z-H) 11 Ee 37
Beneden-Kessel **B** (BR) 18 Ee 43
Beneden-Leeuwen **NL** (GLD) 12 Fd 37
Bennebroek **NL** (N-H) 6 Ed 35
Bennekom **NL** (GLD) 12 Fe 36
Benneveld **NL** (DR) 5 Ge 32
Benningbroek **NL** (N-H) 7 Fa 32
Benonchamp **B** (LU) 26 Fe 48
Benschop **NL** (U) 11 Fa 36
Bentelo **NL** (O) 9 Ge 35
Benthuizen **NL** (Z-H) 6 Ed 36
Bentille **B** (O-V) 17 Dd 41
Berbourg **L** (GRE) 32 Gc 50
Berbroek **B** (LIM) 19 Fb 43
Berchem **B** (A) 18 Ec 41
Berchem **B** (O-V) 17 Dd 44
Berchem-Sainte-Agathe = Sint-Agatha-Berchem **B** (BR) 18 Eb 43
Bercheux **B** (LU) 31 Fd 49
Berdorf **L** (GRE) 32 Gc 49
Béreldange **L** (LUX) 32 Ga 50
Berendrecht **B** (A) 18 Ec 40
Berg **B** (BR) 18 Ed 43
Berg **B** (LIE) 20 Ga 44
Berg **B** (LIE) 26 Gb 46
Berg **B** (LIM) 19 Fd 44
Berg **B** (LIM) 19 Fe 42
Berg **L** (GRE) 32 Gc 50
Berg **L** (LUX) 32 Ga 50
Berg **NL** (L) 20 Fe 42
Berg **NL** (L) 20 Fe 43
Bergambacht **NL** (Z-H) 11 Ee 37
Bergem **L** (LUX) 32 Ga 51
Bergen **NL** (L) 13 Ga 39
Bergen **NL** (N-H) 6 Ee 32
Bergen aan Zee **NL** (N-H) 6 Ed 32
Berg en Dal **NL** (GLD) 12 Ff 38
Bergen op Zoom **NL** (N-B) 10 Eb 40
Bergentheim **NL** (O) 9 Gd 33
Bergeval **B** (LIE) 26 Ff 46
Bergeyk **NL** (N-B) 19 Fc 41
Bergh **NL** (GLD) 13 Gb 37
Bergharen **NL** (GLD) 12 Fe 37
Berghem **NL** (N-B) 12 Fd 38
Berghuizen **NL** (DR) 8 Gb 32
Bergilers **B** (LIE) 19 Fc 44
Berg op Zoom **B** (W-V) 16 Da 42
Bergschenhoek **NL** (Z-H) 11 Ed 37
Bergum = Burgum **NL** (FR) 4 Ff 29
Beringe **NL** (L) 12 Ff 40
Beringen **B** (LIM) 19 Fb 42
Beringen **L** (LUX) 32 Ga 50
Bérisménil **B** (LU) 25 Fe 47
Berkel en Rodenrijs **NL** (Z-H) 11 Ec 37
Berkel-Enschot **NL** (N-B) 12 Fb 39
Berkenbos **B** (LIM) 19 Fb 42
Berkenen **B** (LIM) 19 Fc 42
Berkenwoude **NL** (Z-H) 11 Ee 37
Berkhout **NL** (N-H) 7 Ef 33
Berkum **NL** (O) 8 Ga 33
Berlaar **B** (A) 18 Ed 42
Berlare **B** (O-V) 17 Ea 42
Berlé **L** (D) 26 Ff 49
Berlicum **NL** (N-B) 12 Fc 38
Berlikum **NL** (FR) 3 Fd 29
Berlingen **B** (LIM) 19 Fc 44
Berlotte **B** (LIE) 20 Ga 44
Berloz **B** (LIE) 19 Fb 44
Berneau **B** (LIE) 20 Fe 44
Bernimont **B** (LU) 31 Fc 50
Bernissart **B** (H) 23 Dd 46
Bernisse **NL** (Z-H) 10 Eb 37
Bernister **B** (LIE) 26 Ga 46
Bernum **B** (A) 18 Ee 42
Bersillies-l'Abbaye **B** (H) 24 Ea 47
Bertem **B** (BR) 18 Ed 43
Bertinchamps **B** (N) 24 Ed 45
Bertogne **B** (LU) 25 Fd 48
Bertrange **L** (LUX) 32 Ga 51
Bertrée **B** (LIE) 19 Fa 44
Bertrix **B** (LU) 31 Fb 49
Berzée **B** (N) 24 Ec 47
Beselare **B** (W-V) 16 Da 43
Besinne **B** (N) 24 Ee 46
Besmer **B** (LIM) 19 Fd 43
Besonrieux **B** (H) 24 Eb 45
Best **NL** (N-B) 12 Fc 39
Betekom **B** (BR) 18 Ee 43
Bethanie **B** (A) 18 Ed 41
Béthomont **B** (LU) 25 Fd 48
Bétissart **B** (H) 23 De 45
Bettange-sur-Mess **L** (LUX) 32 Ff 51
Bettborn **L** (D) 31 Ff 50
Bettel **L** (D) 26 Gb 49
Bettembourg **L** (LUX) 32 Ga 51
Bettendorf **L** (D) 32 Gb 49
Bettincourt **B** (LIE) 19 Fb 44
Betzdorf **L** (GRE) 32 Gc 50
Beugen **NL** (N-B) 12 Ff 38
Beugt **NL** (N-B) 12 Fd 39
Beuningen **NL** (GLD) 12 Fe 37
Beuningen **NL** (O) 9 Ha 34
Beuseberg **NL** (O) 8 Gc 35
Beusichem **NL** (GLD) 12 Fb 37
Beuzet **B** (N) 24 Ee 45
Bevel **B** (A) 18 Ee 42
Bever = Biévène **B** (BR) 17 Df 44
Bévercé **B** (LIE) 26 Ga 46
Beveren **B** (O-V) 18 Eb 41
Beveren **B** (W-V) 16 Cd 43
Beveren **B** (W-V) 16 Da 43
Beveren **B** (W-V) 17 Dc 43
Beverlo **B** (LIM) 19 Fb 42
Beverst **B** (LIM) 19 Fc 43
Beverwijk **NL** (N-H) 6 Ed 34
Bevingen **B** (LIM) 19 Fb 44
Beyren **L** (GRE) 32 Gc 51
Biddinghuizen **NL** (F) 7 Fe 34
Bienne-lez-Happart **B** (H) 24 Eb 46
Bierbeek **B** (BR) 18 Ee 44
Biercée **B** (H) 24 Eb 47
Bierges **B** (BR) 18 Ed 44
Bierset **B** (LIE) 25 Fc 45
Biert **NL** (Z-H) 10 Eb 37
Bierum **NL** (GRO) 5 Gf 28
Biervliet **NL** (Z) 17 De 41
Bierwart **B** (N) 25 Fa 45
Biesme **B** (H) 24 Eb 47
Biesme **B** (N) 24 Ed 46
Biesmerée **B** (N) 24 Ee 47
Biest **B** (O-V) 17 Dd 44
Biest-Houtakker **NL** (N-B) 12 Fb 39
Biévène = Bever **B** (BR) 7 Df 44
Bièvre **B** (N) 25 Fa 49
Biez, Cocrou- **B** (BR) 18 Ee 44
Biez **B** (BR) 18 Ee 44
Biezelinge **NL** (Z) 10 Df 40
Biezen **NL** (Z) 17 Dc 41
Biezenmortel **NL** (N-B) 12 Fb 39
Bigaude **B** (H) 23 De 45
Bigaude **B** (H) 23 Df 45
Bigelbach **L** (D) 32 Gb 49
Biggekerke **NL** (Z) 10 Dd 40
Bigonville **L** (D) 31 Fe 49
Bihain **B** (LU) 26 Fe 47
Bijlmermeer **NL** (N-H) 7 Ef 35
Bikschote **B** (W-V) 16 Cf 43
Bilderdam **NL** (N-H) 6 Ee 35
Bildt, Het **NL** (FR) 3 Fd 29
Bilsdorf **L** (D) 31 Fe 49
Bilstain **B** (LIE) 20 Ff 45
Bilt, De **NL** (U) 7 Fb 36
Bilthoven **NL** (U) 7 Fb 36
Bilzen **B** (LIM) 19 Fd 43
Binche **B** (H) 24 Ea 46
Binderveld **B** (LIM) 19 Fb 43
Bingelrade **NL** (L) 20 Ff 43
Binkom **B** (BR) 19 Ef 43
Binnenmaas **NL** (Z-H) 11 Ed 38
Binsfeld **L** (D) 26 Ga 48
Bioul **B** (N) 24 Ee 46
Biourges **B** (LU) 31 Fb 49
Birdaard **NL** (FR) 4 Ff 29
Biron **B** (LU) 25 Fc 47
Bissegem **B** (W-V) 16 Db 44
Bissen **L** (LUX) 32 Ga 50
Bist **B** (A) 18 Ec 42
Bivange **L** (LUX) 32 Ga 51
Bivels **L** (D) 26 Gb 49
Biwer **L** (GRE) 32 Gc 50
Biwisch **L** (D) 26 Ff 48
Bizencourt **B** (H) 17 Dc 45
Bizet, Le - **B** (H) 16 Cf 44
Blaaksedijk **NL** (Z-H) 11 Ed 38
Blaasveld **B** (A) 18 Ec 42
Bladel **NL** (N-B) 12 Fb 40
Bladel en Netersel **NL** (N-B) 12 Fb 40
Blaimont **B** (N) 24 Ef 47
Blandain **B** (H) 23 Db 45
Blanden **B** (BR) 18 Ee 44
Blankenberge **B** (W-V) 16 Da 41
Blankenham **NL** (O) 4 Ff 32
Blaregnies **B** (H) 23 Df 46
Blaricum **NL** (N-H) 7 Fb 35
Blascheid **L** (LUX) 32 Gb 50
Blaton **B** (H) 23 Dd 45
Blaugies **B** (H) 23 De 46
Blauwberg **B** (A) 19 Ef 42
Blauwe Hand **NL** (O) 8 Ga 32
Blauwesluis **NL** (GLD) 12 Fd 37
Blauwhuis **B** (W-V) 17 Dc 42
Blauwhuis **NL** (FR) 3 Fd 30
Blégny **B** (LIE) 20 Fe 44
Bléharies **B** (H) 23 Dc 45
Blehen **B** (LIE) 19 Fa 44
Bleid **B** (LU) 31 Fd 51
Bleijerheide **NL** (L) 20 Ga 43
Bleiswijk **NL** (Z-H) 11 Ed 36
Blerick **NL** (L) 13 Ga 40
Blesdijke **NL** (FR) 4 Ga 31
Bleskensgraaf **NL** (Z-H) 11 Ee 37
Blesse, De **NL** (FR) 4 Ga 31
Blessum **NL** (FR) 3 Fe 29
Blicquy **B** (H) 23 De 45
Blija **NL** (FR) 4 Ff 28
Blijham **NL** (GRO) 5 Ha 30
Blitterswijck **NL** (L) 13 Ga 39
Blocry **B** (BR) 18 Ed 44
Bloemendaal **NL** (N-H) 6 Ed 34
Bloemendaal **NL** (Z-H) 11 Ee 36
Bloemendaal aan Zee **NL** (N-H) 6 Ed 34
Blokker **NL** (N-H) 7 Fa 33
Blokzijl **NL** (O) 8 Ff 32
Blumenthal **L** (GRE) 32 Gb 50
Boarnsterhim **NL** (FR) 3 Fe 30
Bobeldijk **NL** (N-H) 7 Fa 33
Bocholt **B** (LIM) 19 Fd 41
Bocholtz **NL** (L) 20 Ga 44
Bockholtz **L** (D) 26 Ga 48
Bockholtz **L** (D) 26 Ga 49
Bodange **B** (LU) 31 Fe 49
Bodegem, Sint-Martens- **B** (BR) 18 Eb 43
Bodegraven **NL** (Z-H) 6 Ee 36
Boechout **B** (A) 18 Ed 42
Boekel **NL** (N-B) 12 Fe 39
Boekelo **NL** (O) 9 Ge 35
Boekend **NL** (L) 13 Ga 40
Boekendries **B** (O-V) 17 De 43
Boeket **NL** (L) 20 Fe 41
Boekhout **B** (LIM) 19 Fb 44
Boekhoute **B** (O-V) 17 De 41
Boelenslaan **NL** (FR) 4 Ga 29
Boëlhe **B** (LIE) 19 Fb 44
Boer **NL** (FR) 3 Fd 29
Boer, Ten **NL** (GRO) 5 Ge 29
Boerakker **NL** (GRO) 4 Gb 29
Boerdonk **NL** (N-B) 12 Fd 39
Boerelaan **NL** (DR) 4 Gd 30
Boerengat **NL** (Z) 17 De 40
Boerenhol **B** (A) 18 Ef 42
Boerenhol **NL** (Z) 10 Dd 40
Boerhaar **NL** (O) 8 Ga 34
Bœvange **L** (D) 26 Ff 48
Boevange-sur-Attert **L** (LUX) 32 Ga 50
Boezinge **B** (W-V) 16 Cf 43
Bofferdange **L** (LUX) 32 Ga 50
Bogaarden **B** (BR) 18 Ea 44
Bohan **B** (N) 30 Ef 49
Bohiaux **B** (N) 25 Fb 46
Boignée **B** (N) 24 Ed 45
Boijl **NL** (FR) 4 Gb 31
Boirs **B** (LIE) 19 Fd 44
Bois **B** (LIE) 25 Fc 46
Bois-de-Goesnes **B** (LIE) 25 Fb 46
Bois-de-Lens **B** (H) 23 De 45
Bois-de-Lessines **B** (H) 17 Df 44
Bois-de-Nauwe **B** (H) 24 Eb 45
Bois-de-Nivelles **B** (BR) 24 Ec 45
Bois-de-Villers **B** (N) 24 Ee 46
Bois-Seigneur-Isaac **B** (BR) 18 Ec 45
Boisselles **B** (N) 25 Ef 47
Boitsfort, Watermael- = Watermaal-Bosvoorde **B** (BR) 18 Ec 44
Bokhoven **NL** (N-B) 12 Fb 38
Bolder **B** (LIM) 19 Fd 44
Bolderberg **B** (LIM) 19 Fb 43
Bolinne **B** (N) 25 Ef 45
Bolinne **B** (N) 25 Ef 45
Bolland **B** (LIE) 20 Fe 44
Bollebeek **B** (BR) 18 Eb 43
Bolnes **NL** (Z-H) 11 Ed 37
Bolsward **NL** (FR) 3 Fd 30
Bomal **B** (BR) 19 Ef 44
Bomal **B** (LU) 25 Fd 46
Bombaye **B** (LIE) 20 Fe 44
Bommel, Den **NL** (Z-H) 10 Eb 38
Boncelles **B** (LIE) 25 Fd 45
Boneffe **B** (N) 25 Ef 45
Bong **NL** (L) 13 Ga 40
Bonheiden **B** (A) 18 Ed 42
Bonlez **B** (BR) 18 Ee 44
Bonne-Espérance **B** (LIE) 25 Fb 45
Bonnert **B** (LU) 31 Fe 50
Bonnerue **B** (LU) 25 Fc 48
Bonnerue **B** (LU) 26 Fe 48
Bonnerveen **NL** (DR) 5 Gf 30
Bonneville **B** (N) 25 Fa 46
Bonnevoie **L** (LUX) 32 Ga 51
Bonniers, Les - **B** (H) 24 Eb 46
Bonrepas **NL** (Z-H) 11 Ef 37
Bon-Secours **B** (H) 23 Dd 45
Bonsin **B** (N) 25 Fc 46
Bontebok **NL** (FR) 4 Ga 31
Booienhoven, Halle- **B** (BR) 19 Fa 44
Booischot **B** (A) 18 Ee 42
Booitshoeke **B** (W-V) 16 Ce 42
Boom **B** (A) 18 Ec 42
Boomlaar **B** (A) 18 Ed 42
Boompjesdijk **NL** (N-B) 10 Ec 39
Boonwijk **B** (O-V) 18 Ea 42
Boord **NL** (N-B) 12 Fd 40
Boornzwaag **NL** (FR) 3 Fe 31
Boorsem **B** (LIM) 20 Fe 43
Boortmeerbeek **B** (BR) 18 Ed 43
Borchtlombeek **B** (BR) 18 Ea 43
Borculo **NL** (GLD) 8 Gd 36
Borger **NL** (DR) 5 Ge 31
Borgercompagnie **NL** (GRO) 5 Gf 30
Borgerhout **B** (A) 18 Ec 41
Borgerhout **B** (A) 19 Fa 42
Borgharen **NL** (L) 20 Fe 43
Borgloon **B** (LIM) 19 Fc 44
Borgoumont **B** (LIE) 26 Ff 46
Borgsweer **NL** (GRO) 5 Ha 29
Borkel **NL** (N-B) 19 Fc 41
Borlez **B** (LIE) 25 Fb 45
Borlo **B** (LIM) 19 Fb 44
Borlon **B** (LU) 25 Fc 46
Bormenville **B** (N) 25 Fb 46
Born **B** (LIE) 26 Ga 46
Born **L** (GRE) 32 Gd 50
Born **NL** (L) 20 Fe 42
Borne, La - **B** (H) 24 Eb 46
Borne **NL** (O) 9 Ge 35
Bornem **B** (A) 18 Eb 42
Bornerbroek **NL** (O) 9 Ge 35
Bornival **B** (BR) 24 Eb 45
Bornwird **NL** (FR) 4 Ff 28
Borsbeek **B** (A) 18 Ed 41
Borsbeke **B** (O-V) 17 Df 43
Borsele **NL** (Z) 10 De 40
Borset **B** (LIE) 25 Fb 45
Borssele **NL** (Z) 10 De 40
Borsu **B** (LIE) 25 Fb 46
Bos **B** (BR) 18 Ec 43
Bosbeek **B** (BR) 18 Eb 43
Boscailles, Les - **B** (N) 25 Ef 45
Bosch en Duin **NL** (U) 7 Fb 36
Boschweg **NL** (N-B) 12 Fc 39
Boshoven **NL** (L) 19 Fe 41
Boshoven **NL** (N-B) 11 Ef 40
Boskamp **NL** (O) 8 Ga 34
Boskant **B** (A) 18 Eb 42
Boskant, Middelsten- **B** (BR) 18 Eb 43
Boskant **B** (O-V) 17 Df 43
Boskant **NL** (N-B) 12 Fc 39
Boskoop **NL** (Z-H) 6 Ee 36
Bosmolens **B** (W-V) 16 Db 43
Bosschenhoofd **NL** (N-B) 11 Ed 39
Bossière **B** (N) 24 Ee 45
Bosstraat **B** (A) 18 Ec 42
Bosstraat **B** (A) 18 Ed 42
Bosstraat **B** (O-V) 17 De 44
Bossuit **B** (H) 17 Dc 44
Bossut **B** (BR) 18 Ee 44
Bost **B** (BR) 19 Ef 44
Bosvoorde, Watermaal- = Watermael-Boitsfort **B** (BR) 18 Ec 44
Botassart **B** (LU) 30 Fa 50
Boterwijk **NL** (N-B) 12 Fb 39
Bothey **B** (N) 24 Ee 45
Botshol **NL** (U) 7 Ef 35
Botshoofd **NL** (Z) 10 Eb 39
Bottelare **B** (W-V) 17 De 43
Bouge **B** (N) 25 Ef 46
Bougnies **B** (H) 23 Df 46
Bougnimont **B** (LU) 25 Fc 49
Bouillon **B** (LU) 30 Fa 50
Boukoul **NL** (L) 20 Ga 41
Boulaide **L** (D) 31 Fe 49
Bourcy **B** (LU) 26 Fe 48
Bourdon **B** (LU) 25 Fc 47
Bourlers **B** (H) 24 Ec 48
Bourscheid **L** (D) 26 Ga 49
Bourseigne-Neuve **B** (N) 24 Ef 48
Bourseigne-Vieille **B** (N) 25 Ef 48
Bourtange **NL** (GRO) 5 Hb 30
Bous **L** (GRE) 32 Gc 51
Boussoit **B** (H) 24 Ea 46
Boussu **B** (H) 23 De 46
Boussu-Bois **B** (H) 23 De 46
Boussu-en-Fagne **B** (H) 24 Ec 48
Boussu-lez-Walcourt **B** (H) 24 Ec 47
Bousval **B** (BR) 24 Ed 45
Bout-d'En-Haut **B** (H) 24 Eb 48
Boutersem **B** (BR) 18 Ef 43
Boutonville **B** (H) 24 Ec 48
Bouvignes **B** (N) 25 Ef 47
Bouvignies **B** (H) 17 De 45
Bouwel **B** (A) 18 Ee 41
Bovekerke **B** (W-V) 16 Cf 42
Bovelingen **B** (LIM) 19 Fb 44
Bovenberg **NL** (Z-H) 11 Ef 37
Boven-Hardinxveld **NL** (Z-H) 11 Ef 38
Bovenistier **B** (LIE) 19 Fb 44
Bovenkarspel **NL** (N-H) 7 Fb 32
Bovenkerk **NL** (N-H) 6 Ef 35
Bovenkerk **NL** (Z-H) 11 Ee 37
Bovensmilde **NL** (DR) 4 Gd 31
Bovesse **B** (N) 24 Ee 45
Bovigny **B** (LU) 26 Ff 47
Boxhorn **L** (D) 26 Ff 48
Boxmeer **NL** (N-B) 12 Ff 39
Boxtel **NL** (N-B) 12 Fc 39
Bozum **NL** (FR) 4 Fe 30
Bra **B** (LIE) 26 Fe 46
Braamt **NL** (GLD) 13 Gb 37
Bracht **B** (LIE) 26 Ga 47
Brachtenbach **L** (D) 26 Ff 48
Brachterbeek **NL** (L) 20 Ff 42
Braffe **B** (H) 23 Dd 45
Braibant **B** (N) 25 Fa 47
Braine-L'Alleud **B** (BR) 18 Ec 44
Braine-le-Château **B** (BR) 18 Eb 44
Braine-le-Comte **B** (H) 24 Ea 45
Braine-Wauthier **B** (BR) 18 Eb 44
Braives **B** (LIE) 19 Fb 45
Brakel **B** (O-V) 17 De 44
Brakel **NL** (GLD) 11 Fa 38
Braken **B** (A) 11 Ed 40
Brakkenstein **NL** (GLD) 12 Ff 38
Branchon **B** (N) 19 Fa 45
Brand, Den - **B** (A) 19 Fa 41
Brandeburen **NL** (FR) 3 Fd 31
Brandenburg **L** (D) 26 Ga 49
Brandwijk **NL** (Z-H) 11 Ef 37
Brans **B** (A) 18 Eb 42
Brantgum **NL** (FR) 4 Ff 28
Bras **B** (LU) 25 Fc 49
Bras-Haut **B** (LU) 25 Fc 49
Brasmenil **B** (H) 23 Dd 45
Brasschaat **B** (A) 18 Ec 41
Braunlauf **B** (LIE) 26 Ga 47
Bray **B** (H) 24 Ea 46
Brecht **B** (A) 11 Ee 40
Breda **NL** (N-B) 11 Ef 39
Bredene **B** (W-V) 16 Cf 41
Bredene aan Zee **B** (W-V) 16 Cf 41
Brederwiede **NL** (O) 8 Ff 32
Bredestraat **B** (O-V) 17 Dd 42
Bredevoort **NL** (GLD) 13 Gd 37
Bredeweg **NL** (GLD) 12 Ff 38
Bree **B** (LIM) 19 Fd 42
Breedhout **B** (BR) 18 Eb 44
Breendonk **B** (A) 18 Ec 42
Breezand **NL** (N-H) 2 Ee 31
Breezand **NL** (Z) 10 Dd 39
Breidfeld **L** (D) 26 Ga 48
Breitfeld **B** (LIE) 26 Gb 47
Breitweiler **L** (GRE) 32 Gb 50
Breklenkamp **NL** (O) 9 Ha 34
Brempt **B** (BR) 18 Ee 43
Brennert **L** (GRE) 32 Gc 50
Breskens **NL** (Z) 10 Dd 40
Breugel, Son en **NL** (N-B) 12 Fd 39
Breukelen **NL** (U) 7 Fa 35

Beigem – Breukelen (B) (NL) (L) 35

Breukeleveen **NL** (U) 7 Fa 35
Breuvanne **B** (LU) 31 Fc 50
Bridel **L** (LUX) 32 Ga 50
Brielen **B** (W-V) 16 Cf 43
Brielle **NL** (Z-H) 10 Eb 37
Brigdamme **NL** (Z) 10 Dd 39
Briquemont **B** (N) 25 Fa 47
Briscol **B** (LU) 25 Fd 47
Brisy **B** (LU) 26 Ff 47
Britsum **NL** (FR) 3 Fe 29
Britswerd **NL** (FR) 4 Fe 30
Broderbour **L** (D) 32 Gb 49
Broechem **B** (A) 18 Ed 41
Broek **NL** (FR) 3 Fe 31
Broek **NL** (L) 13 Ga 40
Broek **NL** (L) 20 Ga 41
Broek **NL** (Z-H) 11 Ef 37
Broekenhoek **B** (H) 17 Dc 44
Broekhoven **NL** (N-B) 12 Fc 40
Broekhuizen **NL** (L) 13 Gb 40
Broekhuizenvorst **NL** (L) 13 Gb 39
Broek in Waterland **NL** (N-H) 7 Fa 34
Broekkant **NL** (N-B) 12 Fe 39
Broekland **NL** (O) 8 Gb 34
Broekom **B** (LIM) 19 Fc 44
Broek op Langedijk **NL** (N-H) 6 Ee 32
Broeksterwoude **NL** (FR) 4 Ff 29
Bronkhorst **NL** (GLD) 8 Gb 36
Bronsbergen **NL** (GLD) 8 Gb 36
Broodseinde **B** (W-V) 16 Da 43
Brouch **L** (LUX) 32 Ga 50
Brouwershaven **NL** (Z) 10 Df 38
Brouwhuis **NL** (N-B) 12 Fe 40
Bruch **L** (GRE) 32 Gc 50
Bruchem **NL** (GLD) 12 Fb 38
Brucht **NL** (O) 8 Gd 33
Bruchterveld **NL** (O) 9 Ge 33
Brug, Knokke- **B** (W-V) 16 Ce 43
Brugelette **B** (H) 23 Df 45
Brugge **B** (W-V) 16 Db 41
Bruggeneind **B** (A) 18 Ee 42
Bruggenmors **NL** (O) 9 Gf 35
Bruinisse **NL** (Z) 10 Ea 39
Bruinsbeek **B** (O-V) 17 Df 43
Brûlotte **B** (H) 23 Df 45
Brûly **B** (N) 24 Ed 49
Brûly-de-Pesche **B** (N) 24 Ec 48
Brume **B** (LIE) 26 Ff 46
Brummen **NL** (GLD) 8 Gb 36
Brunehaut **B** (H) 23 Dc 45
Brunnepe **NL** (O) 8 Ff 33
Brunssum **NL** (L) 20 Ff 43
Brunsting **NL** (DR) 4 Gd 31
Brussegem **B** (BR) 18 Eb 43
Brussel = Bruxelles **B** (BR) 18 Ec 43
Brustem **B** (LIM) 19 Fb 44
Bruwaan **B** (O-V) 17 Dc 42
Brux **B** (LIE) 26 Ff 47
Bruxelles = Brussel **B** (BR) 18 Ec 43
Bruyelle **B** (H) 23 Dc 45
Bruyère, La - **B** (BR) 18 Ee 44
Bruyère, la - **B** (H) 23 De 45
Bruyère **B** (H) 23 Df 45
Bruyère, La **B** (N) 24 Ee 45
Bruyères, Les - **B** (H) 23 Df 45
Bruyères **B** (LIE) 20 Fe 45
Bruyères **B** (LIE) 26 Ga 46
Bruyères, Les - **B** (N) 24 Ed 47
Brye **B** (H) 24 Ed 45
Buchten **NL** (L) 20 Fe 42
Budel **NL** (N-B) 19 Fd 41
Budel-Dorplein **NL** (N-B) 19 Fd 41
Budeler **L** (GRE) 32 Gc 50
Budel-Schoot **NL** (N-B) 19 Fd 41
Budersberg **L** (LUX) 32 Ga 51
Budersberg **L** (LUX) 32 Ga 52
Budingen **B** (BR) 19 Fa 43
Buggenhout **B** (O-V) 18 Eb 42
Buggenum **NL** (L) 20 Ga 41
Buiksloot **NL** (N-H) 6 Ef 34
Buinen **NL** (DR) 5 Gf 31
Buinerveen **NL** (DR) 5 Gf 31
Buissenal **B** (H) 23 De 45
Buisson **B** (LU) 25 Fc 48
Buissonville **B** (N) 25 Fb 47
Buissot **B** (BR) 18 Eb 45
Buitenhuizen **NL** (N-H) 6 Ee 34
Buitenkaag **NL** (N-H) 6 Ed 35
Buitenpost **NL** (FR) 4 Ga 29
Buitenveldert **NL** (N-H) 6 Ef 35
Buken **B** (BR) 18 Ed 43
Bullange = Büllingen **B** (LIE) 26 Gb 46
Bulles, Les - **B** (LU) 31 Fc 50
Büllingen = Bullange **B** (LIE) 26 Gb 46
Bulskamp **B** (W-V) 16 Cd 42
Bultehoek **B** (W-V) 16 Cf 43
Bultia, Le - **B** (H) 24 Ec 46
Bunde **NL** (L) 20 Fe 43
Bunne **NL** (DR) 4 Gd 30
Bunnik **NL** (U) 7 Fb 36
Bunsbeek **B** (BR) 19 Ef 43
Bunschoten **NL** (U) 7 Fc 35
Buntelaar **B** (O-V) 17 Dc 42
Burcht **B** (A) 18 Ec 41
Bürden **L** (D) 32 Ga 49
Burdinne **B** (LIE) 25 Fa 45
Bure **B** (LU) 25 Fb 48
Buren **NL** (FR) 3 Fe 28
Buren **NL** (GLD) 12 Fc 37
Buret **B** (LU) 26 Ff 48
Burg **B** (BR) 17 Df 44
Burg, Den **NL** (N-H) 2 Ee 30
Burgemeester Beinsdorp **NL** (GRO) 5 Ha 31
Burgerbrug **NL** (N-H) 6 Ee 32
Burgerveen **NL** (N-H) 6 Ee 35
Burgervlotburg **NL** (N-H) 6 Ee 32
Burgh **NL** (Z) 10 De 38
Burghsluis **NL** (Z) 10 De 38
Burglinster **L** (GRE) 32 Gb 50
Burg-Reuland **B** (LIE) 26 Ga 47
Burgum **NL** (FR) 4 Ff 29
Burgwerd **NL** (FR) 3 Fd 30
Burmerange **L** (GRE) 32 Gc 51
Burneville **B** (LIE) 26 Ga 46
Bursdorf **L** (GRE) 32 Gc 50
Burst **B** (O-V) 17 Df 43
Burtonville **B** (LU) 26 Ff 47
Burum **NL** (FR) 4 Gb 29
Bury **B** (H) 23 Dd 45
Buschdorf **L** (LUX) 32 Ga 50
Buschrodt **L** (D) 31 Ff 50
Bussereind **NL** (L) 20 Ga 41
Bussloo **NL** (GLD) 8 Ga 35
Bussum **NL** (N-H) 7 Fb 35
Bütgenbach **B** (LIE) 26 Gb 46
Butor, Le - **B** (H) 17 Dc 44
Butsel **B** (BR) 18 Ef 43
Buttinge **NL** (Z) 10 Dd 39
Buurmalsen **NL** (GLD) 12 Fb 37
Buurse **NL** (O) 9 Gf 36
Buurtje **NL** (N-B) 11 Ef 38
Buvingen **B** (LIM) 19 Fb 44
Buvrinnes **B** (H) 24 Eb 46
Buzenol **B** (LU) 31 Fd 51
Buzet **B** (H) 24 Ec 45
Buzet **B** (N) 24 Ee 46

C

Cabauw **NL** (U) 11 Ef 37
Cadier en Keer **NL** (L) 20 Fe 43
Cadzand **NL** (Z) 10 Dc 40
Cadzand-Bad **NL** (Z) 10 Dc 40
Cahottes, Les - **B** (LIE) 19 Fc 45
Calamine = Kelmis, La - **B** (LIE) 20 Ga 44
Calfven **NL** (N-B) 11 Ec 40
Californië **NL** (L) 13 Ga 40
Callantsoog **NL** (N-H) 2 Ee 31
Callenelle **B** (H) 23 Dd 45
Calmus **L** (D) 32 Ff 50
Calonne **B** (H) 23 Dc 45
Cambron-Casteau **B** (H) 23 Df 45
Cambron-Saint-Vincent **B** (H) 23 Df 45
Camperduin **NL** (N-H) 6 Ed 32
Canach **L** (GRE) 32 Gc 51
Cantines **B** (H) 23 Ea 45
Capelle **NL** (N-B) 11 Fa 38
Capelle, Sprang- **NL** (N-B) 11 Fa 38
Capelle aan de IJssel **NL** (Z-H) 11 Ed 37
Capellen **L** (LUX) 32 Ff 51
Capelle-West **NL** (Z-H) 11 Ed 37
Carlsbourg **B** (LU) 30 Fa 49
Carlshof **L** (D) 32 Ga 49
Carnières **B** (H) 24 Eb 46
Carnisse **NL** (Z-H) 11 Ed 37
Caroisette, La - **B** (H) 17 Df 44
Casteau, Cambron- **B** (H) 23 Df 45
Casteau **B** (H) 23 Ea 45
Castenray **NL** (L) 13 Ga 40
Casteren **NL** (N-B) 12 Fb 40
Castillon **B** (N) 24 Ec 47
Castricum **NL** (N-H) 6 Ee 33
Castricum aan Zee **NL** (N-H) 6 Ed 33
Catrijp **NL** (N-H) 6 Ee 32
Celles **B** (H) 17 Dc 44
Celles **B** (LIE) 19 Fb 45
Celles **B** (N) 25 Fa 47
Cendron **B** (H) 24 Eb 49
Cens **B** (LU) 25 Fd 48
Cerexhe **B** (LIE) 26 Fe 45
Cerfontaine **B** (N) 24 Ec 47
Céroux-Mousty **B** (BR) 18 Ed 45
Cessange **L** (LUX) 32 Ga 51
Chaam **NL** (N-B) 11 Ef 40
Chaam, Snijders- **NL** (N-B) 11 Ef 39
Chabrehez **B** (LU) 26 Fe 47
Chaineux **B** (LIE) 20 Ff 45
Chairiére **B** (N) 30 Ef 49
Champagne **B** (LIE) 26 Ga 46
Champion **B** (LU) 25 Fc 47
Champion **B** (N) 25 Ef 45
Champion **B** (N) 25 Fa 46
Champlon **B** (LU) 25 Fd 48
Champs **B** (LU) 25 Fd 48
Chanly **B** (LU) 25 Fa 48
Chantemelle **B** (LU) 31 Fd 51
Chanxhe **B** (LIE) 26 Fe 45
Chapelle, la - **B** (LIE) 26 Fe 47
Chapelle-à-Oie **B** (H) 23 De 45
Chapelle-à-Wattines **B** (H) 23 Dd 45
Chapelle-lez-Herlaimont **B** (H) 24 Eb 46
Chapelle-Sint-Lambert **B** (BR) 18 Ed 44
Chapnon-Serang **B** (LIE) 25 Fb 45
Chappois **B** (N) 25 Fa 47
Charleroi **B** (H) 24 Eb 46
Charneux **B** (LIE) 20 Fe 44
Charneux **B** (LIE) 26 Ff 45
Charneux **B** (LU) 25 Fc 47
Charnoy, Le - **B** (H) 24 Ed 46
Chassepierre **B** (LU) 31 Fb 50
Chastre **B** (BR) 24 Ed 45
Chastrès **B** (N) 24 Ec 47
Châtelet **B** (H) 24 Ed 46
Châtelineau **B** (H) 24 Ed 46
Châtillon **B** (LU) 31 Fe 51
Chaudeville, Leval- **B** (H) 24 Eb 47
Chaudfontaine **B** (LIE) 25 Fe 45
Chaumont **B** (N) 24 Ed 47
Chaumont-Gistoux **B** (BR) 18 Ee 44
Chaussée-Notre-Dame-Louvignies **B** (H) 23 Ea 45
Chauveheid **B** (LIE) 26 Fe 46
Chemins **B** (LIE) 20 Ff 45
Chêne **B** (LU) 31 Fd 49
Chênée **B** (LIE) 19 Fd 45
Cheneux **B** (LIE) 26 Fe 46
Chenogne **B** (LU) 25 Fd 49
Chenois **B** (BR) 18 Ec 44
Chenois **B** (LU) 31 Fd 51
Cheoux **B** (LU) 25 Fc 47
Cherain **B** (LU) 26 Ff 47
Cheratte **B** (LIE) 19 Fe 44
Chercq **B** (H) 23 Dc 45
Chevetogne **B** (N) 25 Fa 47
Chevron **B** (LIE) 26 Fe 46
Chièvres **B** (H) 23 De 45
Chimay **B** (H) 24 Eb 48
Chin, Ramegines- **B** (H) 23 Dc 45
Chiny **B** (LU) 31 Fc 50
Chokier **B** (LIE) 19 Fc 45
Chrismont **B** (H) 24 Ea 48
Christnach **L** (GRE) 32 Gb 50
Cielle **B** (LU) 25 Fd 47
Ciergnon **B** (N) 25 Fa 47
Cierreux **B** (LU) 26 Ff 47
Cillaarshoek **NL** (Z-H) 11 Ed 38
Ciney **B** (N) 25 Fa 47
Ciplet **B** (LIE) 25 Fa 45
Ciply **B** (H) 23 Df 46
Clabecq **B** (BR) 18 Eb 44
Claire-Fontaine **B** (LU) 31 Ff 51
Clavier **B** (LIE) 25 Fc 46
Cléal **B** (N) 25 Fb 46
Clémency **L** (LUX) 31 Ff 51
Clerheid **B** (LU) 25 Fd 47
Clermont, Thimister- **B** (LIE) 20 Ff 44
Clermont **B** (LIE) 25 Fc 45
Clermont **B** (N) 24 Eb 47
Clervaux **L** (D) 26 Ga 48
Clinge **NL** (Z) 18 Ea 41
Clipet **B** (H) 17 Dc 44
Cobru **B** (LU) 26 Fe 48
Cockaifagne **B** (LIE) 26 Ff 45
Cocksdorp, De **NL** (N-H) 2 Ef 30
Cocquereaumont **B** (H) 17 Dd 45
Cocrou-Biez **B** (BR) 18 Ee 44
Coendersborg **NL** (GRO) 4 Gd 29
Coevorden **NL** (DR) 9 Ge 32
Cognebeau **B** (H) 23 Ea 45
Cognelée **B** (N) 25 Ef 45
Colbet **L** (GRE) 32 Gb 50
Colfontaine **B** (H) 23 Df 46
Colijnsplaat **NL** (Z) 10 Df 39
Collas **B** (LU) 26 Fe 47
Collendoornerveen **NL** (O) 8 Gd 33
Colmar **L** (LUX) 32 Ga 50
Colmschate **NL** (O) 8 Gb 35
Colpach-Bas **L** (D) 31 Fe 50
Colroy **B** (H) 23 Df 45
Comblain-au-Pont **B** (LIE) 25 Fd 46
Comblain-Fairon **B** (LIE) 25 Fd 46
Comblain-la-Tour **B** (LIE) 25 Fd 46
Comines-Warneton = Komen-Waasten **B** (H) 16 Cf 44
Commanster **B** (LU) 26 Ga 47
Communes, Les - **B** (N) 25 Ef 46
Compascuum, Barger- **NL** (DR) 5 Ha 32
Compascuum, Emmer- **NL** (DR) 5 Ha 32
Compogne **B** (LU) 26 Fe 48
Conneux **B** (N) 25 Fa 47
Consdorf **L** (GRE) 32 Gc 50
Consthum **L** (D) 26 Ga 49
Contern **L** (LUX) 32 Gb 51
Coq-d'Agache **B** (H) 17 Dd 44
Corbais **B** (BR) 24 Ee 45
Corbion **B** (LU) 30 Fa 50
Cordes **B** (H) 17 Dd 44
Corenne **B** (N) 24 Ee 47
Cornet **B** (H) 23 Db 45
Cornette, la - **B** (LU) 30 Fa 50
Cornimont **B** (N) 30 Fa 49
Cornjum **NL** (FR) 3 Fe 29
Cornwerd **NL** (FR) 3 Fc 30
Coron **B** (H) 23 Dd 45
Coron **B** (H) 23 Df 46
Corroy-le-Château **B** (N) 24 Ee 45
Corroy-Le-Grand **B** (BR) 18 Ea 44
Corswarem **B** (LIE) 19 Fb 44
Cortil-Noirmont **B** (BR) 24 Ed 45
Cortil-Wodon **B** (N) 25 Ef 45
Cothen **NL** (U) 12 Fb 36
Cotroulle **B** (LIE) 25 Fb 45
Cottaprez **B** (N) 24 Ee 46
Couillet **B** (H) 24 Ec 46
Courcelles **B** (H) 24 Ec 46
Cour-sur-Heure **B** (H) 24 Ec 47
Courtil **B** (LU) 26 Ff 47
Court-Saint-Étienne **B** (BR) 18 Ed 45
Couthuin **B** (LIE) 25 Fa 45
Coutisse **B** (N) 25 Fa 46
Couture-Sint-Germain **B** (BR) 18 Ed 44
Couvin **B** (N) 24 Ec 48
Couvreux **B** (LU) 31 Fc 51
Craailo **NL** (N-H) 7 Fb 35
Cras-Avernas **B** (LIE) 19 Fa 44
Crauthem **L** (LUX) 32 Ga 51
Crehen **B** (LIE) 19 Fa 45
Creil **NL** (O) 3 Fe 32
Crendal **L** (D) 26 Ff 48
Crenwick **B** (LIE) 19 Fb 44
Creppe **B** (LIE) 26 Ff 46
Crisnée **B** (LIE) 19 Fc 44
Croix **B** (N) 25 Fa 47
Croix-lez-Rouveroy **B** (H) 23 Ea 46
Crombach **B** (LIE) 26 Ga 47
Crombion **B** (H) 16 Db 44
Cromstrijen **NL** (Z-H) 11 Ec 38
Cromvoirt **NL** (N-B) 12 Fb 38
Cronfestu **B** (H) 24 Eb 46
Cruchten **L** (LUX) 32 Ga 50
Crupet **B** (N) 25 Ef 46
Cruquius **NL** (N-H) 6 Ed 35
Cuesmes **B** (H) 23 Df 46
Cugnon **B** (LU) 31 Fb 50
Cuijk **NL** (N-B) 12 Ff 38
Cuijk en Sint Agatha **NL** (N-B) 12 Ff 38
Cul-des-Sarts **B** (N) 24 Ec 49
Culemborg **NL** (GLD) 12 Fb 37
Culots, Les - **B** (H) 24 Eb 45
Custinne **B** (N) 25 Fa 47

D

Daal, Den - **B** (BR) 18 Ea 44
Daarle **NL** (O) 8 Gd 34
Daarlerveen **NL** (O) 9 Gd 34
Dadizele **B** (W-V) 16 Da 43
Dagsterre **B** (O-V) 18 Ea 41
Dahl **L** (D) 26 Ff 49
Dahlem **L** (LUX) 32 Ff 51
Dailly **B** (H) 24 Ec 48
Daknam **B** (O-V) 17 Df 42
Dalem **NL** (GLD) 11 Fa 38
Dalen **NL** (DR) 9 Ge 32
Dalerpeel **NL** (DR) 9 Ge 32
Dalerveen **NL** (DR) 9 Gf 32
Dalfsen **NL** (O) 8 Gb 33
Dalheim **L** (GRE) 32 Gb 51
Dalhem **B** (LIE) 20 Fe 44
Dam **B** (W-V) 16 Db 43
Dam **NL** (L) 12 Ga 38
Damme **B** (W-V) 17 Db 41
Dampicourt **B** (LU) 31 Fc 51
Damre **B** (LIE) 26 Fe 45
Damwoude **NL** (FR) 4 Ff 29
Dantumadeel **NL** (FR) 4 Ff 29
Darion **B** (LIE) 19 Fb 44
Dassemus **NL** (N-B) 11 Ef 39
Daussois **B** (N) 24 Ec 47
Dave **B** (N) 25 Ef 46
Daverdisse **B** (LU) 25 Fa 48
De Aap **B** (W-V) 16 Da 43
Dearsum **NL** (FR) 3 Fe 30
De Belt **NL** (O) 8 Gd 33
De Bilt **NL** (U) 7 Fb 36
De Blesse **NL** (FR) 4 Ga 31
De Cocksdorp **NL** (N-H) 2 Ef 30
Dedemsvaart **NL** (O) 8 Gc 33
De Donk **B** (A) 18 Ec 41
Deelen **NL** (GLD) 8 Ff 36
De Engel **NL** (Z-H) 6 Ed 35
Deerlijk **B** (W-V) 17 Dc 43
Deersum = Dearsum **NL** (FR) 3 Fe 30
Deest **NL** (GLD) 12 Fe 37
Deftinge **B** (O-V) 17 Df 44
De Ginkel **NL** (GLD) 7 Fe 36
De Glind **NL** (GLD) 7 Fd 36
De Glip **NL** (N-H) 6 Ed 34
De Goorn **NL** (N-H) 7 Ef 33
De Gors **NL** (N-H) 7 Ef 34
De Groeve **NL** (DR) 5 Ge 30
De Haan **B** (W-V) 16 Da 41
De Haar **NL** (DR) 9 Ge 32
De Haar **NL** (GRO) 4 Gb 30
De Haar **NL** (U) 7 Fd 36
De Haspel **NL** (GRO) 4 Gc 30
De Heen **NL** (N-B) 10 Eb 39
De Hees **NL** (L) 13 Ga 40
De Heide **B** (O-V) 17 De 41
De Heul **NL** (N-H) 6 Ef 34
De Heurne **NL** (GLD) 13 Gd 37
De Heuvel **NL** (N-B) 12 Fc 40
De Hoef **NL** (U) 6 Ef 35
De Hoek **NL** (N-H) 6 Ee 35
De Hoeve **NL** (FR) 4 Ga 31
De Horst **NL** (GLD) 12 Ff 38
De Hout **NL** (N-H) 7 Fb 32
De Hoven **NL** (O) 8 Ga 35
Deidenberg **B** (LIE) 26 Ga 46
Deigne **B** (LIE) 26 Fe 45
Deijl, Den **NL** (Z-H) 6 Ec 36
Deil **NL** (GLD) 12 Fb 37
Deinum **NL** (FR) 3 Fe 29
Deinze **B** (O-V) 17 Dd 43
De Kat **B** (O-V) 17 Df 42
De Kat **B** (W-V) 16 Db 43
De Kiel **NL** (DR) 5 Ge 31
De Klijpe **B** (O-V) 17 Dd 44
De Klijte **B** (W-V) 16 Ce 44
De Klinge **B** (O-V) 18 Ea 41
De Klomp **NL** (GLD) 7 Fd 36
De Knijpe **NL** (FR) 4 Ff 31
De Knol **NL** (Z) 17 De 41
De Koloniën **B** (LIM) 19 Fc 41
De Koog **NL** (N-H) 2 Ee 30
De Kooy **NL** (N-H) 2 Ee 31
De Krim **NL** (O) 9 Gd 33
De Kruiskamp **NL** (N-B) 12 Fb 38
De Kwakel **NL** (N-H) 6 Ee 35
Delden **NL** (GLD) 8 Gb 36
Deldenerbroek **NL** (O) 9 Ge 35
Delfgauw **NL** (Z-H) 11 Ec 36
Delft **NL** (Z-H) 11 Ec 36
Delfzijl **NL** (GRO) 5 Gf 28
De Lichtmis **NL** (O) 8 Gb 33
De Lier **NL** (Z-H) 10 Eb 37
De Lindemann **B** (LIM) 19 Fc 42
Dellen **L** (D) 31 Ff 49
De Lutte **NL** (O) 9 Ha 35
Delwijnen **NL** (GLD) 12 Fb 38
De Maten **NL** (GLD) 8 Ga 35
De Meele **NL** (O) 8 Gb 33
De Meern **NL** (U) 7 Fa 36
De Meern, Vleuten- **NL** (U) 7 Fa 36
Demen **NL** (N-B) 12 Fd 38
De Moer **NL** (N-B) 11 Fa 39
De Moeren **B** (W-V) 16 Cd 42
Den Andel **NL** (GRO) 4 Gd 28
Den Bommel **NL** (Z-H) 10 Eb 38
Den Burg **NL** (N-H) 2 Ee 30
Den Daal **B** (BR) 18 Ea 44
Den Deijl **NL** (Z-H) 6 Ec 36
Denderbelle **B** (O-V) 18 Ea 42
Denderhoutem **B** (O-V) 17 Ea 43
Denderleeuw **B** (O-V) 18 Ea 43
Dendermonde **B** (O-V) 17 Ea 42
Denderwindeke **B** (O-V) 17 Ea 44
Den Dolder **NL** (U) 7 Fb 36
Den Dungen **NL** (N-B) 12 Fc 38
Denée **B** (N) 24 Ee 47
Denekamp **NL** (O) 9 Ha 34
Den Euster **B** (A) 18 Ed 42
Den Haag = 's-Gravenhage **NL** (Z-H) 6 Eb 36
Den Ham **NL** (GRO) 4 Gc 29
Den Ham **NL** (O) 8 Gd 34
Den Helder **NL** (N-H) 2 Ee 31
Den Hoek **B** (O-V) 17 Df 43
Den Hool **NL** (DR) 9 Ge 32
Den Hoorn **B** (W-V) 17 Dc 41
Den Hoorn **B** (W-V) 17 Dc 42
Den Hoorn **NL** (N-H) 2 Ee 30
Den Hoorn **NL** (Z-H) 6 Ec 36
Den Hoorn, Wehe- **NL** (FR) 4 Gc 28

36 (B) (NL) (L) **Breukeleveen – Den Hoorn, Wehe-**

Den Horn **NL** (GRO) 4 Gc 29
Den Hout **NL** (N-B) 11 Ef 39
Den Ilp **NL** (N-H) 6 Ef 34
Dennenburg **NL** (N-B) 12 Fd 38
Den Nul **NL** (O) 8 Ga 34
Den Oever **NL** (N-H) 3 Fa 31
De Noord **NL** (N-H) 6 Ef 32
Dentergem **B** (W-V) 17 Dc 43
Den Velde **NL** (O) 9 Ge 33
De Panne **B** (W-V) 16 Cd 42
De Pettelaar **NL** (N-B) 12 Fb 38
De Pinte **B** (O-V) 17 Dd 43
De Planck **B** (LIM) 20 Ff 44
De Pol **NL** (DR) 4 Gd 30
De Pollen **NL** (O) 9 Ge 34
De Radstake **NL** (GLD) 13 Gd 37
De Reit **NL** (N-B) 11 Fa 39
Dergneau **B** (H) 17 Dd 44
De Rijlst **NL** (FR) 3 Fe 31
De Rijp, Graft- **NL** (N-H) 6 Ef 33
Dernier-Patard **B** (BR) 24 Ec 45
De Rompert **NL** (N-B) 12 Fb 38
De Ronde Venen **NL** (U) 6 Ef 35
De Rotte **NL** (Z-H) 11 Ed 37
De Ruiter **B** (W-V) 16 Da 43
De Schooten **NL** (N-H) 2 Ee 31
Dessel **B** (A) 19 Fa 41
Desselgem **B** (W-V) 17 Dc 43
De Stapel **NL** (DR) 8 Gc 32
De Steeg **NL** (GLD) 8 Ga 36
Destelbergen **B** (O-V) 17 De 42
Desteldonk **B** (O-V) 17 De 42
De Tike **NL** (FR) 4 Ga 30
Deulin **B** (LU) 25 Fc 47
Deurle **B** (O-V) 17 Dd 42
Deurne **B** (A) 18 Ec 41
Deurne **B** (BR) 19 Fa 42
Deurne **NL** (N-B) 12 Fe 40
Deurningen **NL** (O) 9 Gf 35
Deursen **NL** (N-B) 12 Fd 38
Deux-Acren **B** (H) 17 Df 44
Deux-Rys **B** (LU) 25 Fd 46
De Valom **NL** (FR) 4 Ga 29
Devantave **B** (LU) 25 Fd 47
Devant-le-Bois **B** (N) 25 Fa 46
Devant-les-Bois **B** (N) 24 Ed 46
Deventer **NL** (O) 8 Gb 35
De Vorst **NL** (L) 13 Ga 40
De Vrede **B** (W-V) 17 Dc 40
De Waal **NL** (N-H) 2 Ef 30
De Weerd **NL** (L) 20 Ff 41
De Weere **NL** (N-H) 7 Fa 32
De Wijk **NL** (DR) 8 Gb 32
De Wilgen **NL** (FR) 4 Ga 30
De Wilp **NL** (GRO) 4 Gb 30
Deyfeldt **B** (LIE) 26 Ga 47
De Zande **NL** (O) 8 Ff 33
De Zilk **NL** (Z-H) 6 Ed 35
Dhuy **B** (N) 25 Ef 45
Dickweiler **L** (GRE) 32 Gc 50
Didam **NL** (GLD) 13 Gb 37
Dieden **NL** (N-B) 12 Fd 38
Diedonken **B** (A) 18 Ed 42
Diefdijk **NL** (Z-H) 11 Fa 37
Diegem **B** (BR) 18 Ec 43
Diekirch **L** (D) 32 Ga 49
Diemen **NL** (N-H) 7 Ef 34
Diepenbeek **B** (LIM) 19 Fc 43
Diepenheim **NL** (O) 8 Gd 35
Diepenpoel **B** (LIM) 19 Fb 43
Diepenveen **NL** (O) 8 Ga 35
Diepswal **NL** (GRO) 4 Gc 30
Dieren **NL** (GLD) 8 Ga 36
Diessen **NL** (N-B) 12 Fb 40
Diest **B** (BR) 19 Fa 43
Dieteren **NL** (L) 20 Ff 42
Diets-Heur **B** (LIM) 19 Fd 44
Diever **NL** (DR) 4 Gb 31
Dieverbrug **NL** (DR) 4 Gc 31
Diffelen **NL** (O) 8 Gd 33
Differdange **L** (LUX) 31 Ff 51
Dijkerhoek **NL** (O) 8 Gc 35
Dijkhuisjes **NL** (Z) 10 Df 38
Dijle, Korbeek- **B** (BR) 18 Ed 43
Dikkebus **B** (W-V) 16 Cf 44
Dikkele **B** (O-V) 17 De 43
Dikkelvenne **B** (O-V) 17 De 43
Diksmuide **B** (W-V) 16 Cf 42
Dilbeek **B** (BR) 18 Eb 43
Dillingen **L** (GRE) 32 Gb 49
Dilsen **B** (LIM) 20 Fe 42
Dime **B** (H) 17 Dd 45
Dinant **B** (N) 25 Ef 47
Diné **B** (LU) 26 Fe 47
Dinteloord **NL** (N-B) 11 Ec 39
Dinteloord en Prinsenland **NL** (N-B) 10 Ec 39
Dintelsas **NL** (N-B) 11 Ec 39
Dinther **NL** (N-B) 12 Fd 39
Dinther, Heeswijk- **NL** (N-B) 12 Fd 39
Dinxperlo **NL** (GLD) 13 Gc 37
Dio-le-Mont **B** (BR) 18 Ee 44
Dion **B** (N) 25 Ef 48
Dippach **L** (LUX) 32 Ff 51
Dirkshorn **NL** (N-H) 6 Ee 32
Dirksland **NL** (Z-H) 10 Ea 38
Dishoek **NL** (Z) 10 Dd 40
Dison **B** (LIE) 20 Ff 45
Dochamps **B** (LU) 25 Fd 47
Dodewaard **NL** (GLD) 12 Fe 37
Doel **B** (O-V) 18 Eb 41
Dœnnange **L** (D) 26 Ff 48
Doenrade **NL** (L) 20 Ff 43
Doesburg **NL** (GLD) 13 Ga 36
Doesburgerbuurt **NL** (GLD) 7 Fd 36
Doetinchem **NL** (GLD) 13 Gb 37
Doeveren **NL** (N-B) 11 Fa 38
Doezum **NL** (GRO) 4 Gb 29
Dohan **B** (LU) 30 Fa 50
Doiceau, Grez- **B** (BR) 18 Ee 44
Doische **B** (N) 24 Ee 48
Dokkum **NL** (FR) 4 Ff 29
Dokkumer Nieuwe Zijlen **NL** (FR) 4 Ga 29
Dolder, Den **NL** (U) 7 Fb 36
Doldersum **NL** (DR) 4 Gb 31
Dolembreux **B** (LIE) 25 Fd 45
Domburg **NL** (Z) 10 Dd 39
Dommartin **B** (LIE) 25 Fc 45
Dommeldange **L** (LUX) 32 Ga 51
Dommelen **NL** (N-B) 12 Fc 40
Donceel **B** (LIE) 19 Fc 45
Doncols **L** (D) 26 Ff 49
Dondelange **L** (LUX) 32 Ga 50
Donderen **NL** (DR) 4 Gd 30
Dongelberg **B** (BR) 19 Ef 44
Dongen **NL** (N-B) 11 Ef 39
Dongense Vaart **NL** (N-B) 11 Ef 39
Dongeradeel **NL** (FR) 4 Ff 28
Dongjum **NL** (FR) 3 Fd 29
Doniaga **NL** (FR) 3 Fe 31
Donk, De - **B** (A) 18 Ec 41
Donk **B** (A) 19 Fa 41
Donk **B** (LIM) 19 Fa 43
Donk **B** (LIM) 19 Fb 43
Donk **B** (O-V) 17 Df 42
Donkerbroek **NL** (FR) 4 Gb 30
Donstiennes **B** (H) 24 Eb 47
Donzel **NL** (N-B) 12 Fd 38
Doomkerk **B** (W-V) 17 Dc 42
Doorn **NL** (U) 12 Fc 36
Doornenburg **NL** (GLD) 12 Ga 37
Doornspijk **NL** (GLD) 8 Fe 34
Doorselaar **B** (O-V) 17 Df 42
Doorwerth **NL** (GLD) 12 Fe 37
Dordrecht **NL** (Z-H) 11 Ee 38
Doren **B** (BR) 18 Ed 43
Dorinne **B** (N) 25 Ef 47
Dorne **B** (LIM) 19 Fd 42
Dorplein, Budel- **NL** (N-B) 19 Fd 41
Dorscheid **L** (D) 26 Ga 48
Dorst **NL** (N-B) 11 Ef 39
Dortherhoek **NL** (O) 8 Gb 35
Dottignies **B** (H) 17 Db 44
Dour **B** (H) 23 De 46
Dourbes **B** (N) 24 Ed 48
Douvrain **B** (H) 23 Df 46
Draaibrug **NL** (Z) 17 Dc 41
Drachten **NL** (FR) 4 Ga 30
Drachtstercompagnie **NL** (FR) 4 Ga 30
Dranouter **B** (W-V) 16 Ce 44
Drauffelt **L** (D) 26 Ga 48
Drechterland **NL** (N-H) 7 Fa 33
Dreel **B** (A) 11 Ee 40
Dréhance **B** (N) 25 Ef 47
Dreischor **NL** (Z) 10 Ea 38
Drempt **NL** (GLD) 12 Fc 37
Dreumel **NL** (GLD) 12 Fc 37
Dreye **B** (LIE) 25 Fb 45
Drie **NL** (GLD) 7 Fe 35
Driebergen-Rijsenburg **NL** (U) 7 Fb 36
Drieborg **NL** (GRO) 5 Hb 29
Driebruggen **NL** (Z-H) 11 Ee 36
Driedorp **NL** (GLD) 7 Fd 35
Driegoten **B** (O-V) 18 Eb 42
Driehoek **B** (A) 18 Ec 42
Driehuis **NL** (N-H) 6 Ed 34
Driehuizen **NL** (N-B) 11 Ef 40
Driehuizen **NL** (N-H) 6 Ee 33
Driel **NL** (GLD) 12 Ff 37
Driemond **NL** (N-H) 7 Fa 35
Dries **B** (A) 18 Ee 42
Dries **B** (W-V) 17 Dc 44
Drieschouwen **NL** (Z) 17 Df 41
Drieslinter **B** (BR) 19 Fa 43
Driesprong **NL** (GLD) 7 Fe 36
Driesum **NL** (FR) 4 Ga 29
Driewegen **NL** (Z) 17 De 40
Drijber **NL** (DR) 4 Gd 32
Drimmelen **NL** (N-B) 11 Ee 38
Drimmelen, Made en **NL** (N-B) 11 Ee 38
Drogeham **NL** (FR) 4 Ga 29
Drogenbos **B** (BR) 18 Ec 44
Drogteropslagen **NL** (DR) 8 Gd 33
Drongelen **NL** (N-B) 11 Fa 38
Drongen **B** (O-V) 17 Dd 42
Dronkaard **B** (W-V) 16 Db 44
Dronrijp **NL** (FR) 3 Fd 29
Dronten **NL** (F) 7 Fe 33
Drooghe Weert **NL** (N-H) 2 Ee 31
Drouwen **NL** (DR) 5 Ge 31
Drouwenermond **NL** (DR) 5 Gf 31
Drouwenerveen **NL** (DR) 5 Gf 31
Druimeren **B** (BR) 17 Ea 44
Drunen **NL** (N-B) 12 Fb 38
Druten **NL** (GLD) 12 Fd 37
Dubbeldam **NL** (Z-H) 11 Ee 38
Duc, Baarle- = Baarle-Hertog **B** () 11 Ef 40
Dudzele **B** (W-V) 16 Db 41
Duffel **B** (A) 18 Ed 42
Duinhoek **B** (W-V) 16 Cd 42
Duisburg **B** (BR) 18 Ed 44
Duiveland **NL** (Z) 10 Df 39
Duiven **NL** (GLD) 13 Ga 37
Duivendrecht **NL** (N-H) 7 Ef 34
Duizel **NL** (N-B) 12 Fb 40
Dukenburg **NL** (GLD) 12 Fe 38
Dulder **NL** (O) 9 Ge 34
Dungen, Den **NL** (N-B) 12 Fc 38
Durbuy **B** (LU) 25 Fc 46
Durgerdam **NL** (N-H) 7 Fa 34
Dürler **B** (LIE) 26 Ga 47
Durmen **B** (O-V) 17 Dd 42
Durmen **B** (O-V) 18 Ea 42
Durnal **B** (N) 25 Ef 46
Dussen **NL** (N-B) 11 Ef 38
Dutsel, Kortrijk- **B** (BR) 18 Ee 43
Dwingeloo **NL** (DR) 4 Gc 31
Dworp **B** (BR) 18 Eb 44

E

Eagum **NL** (FR) 4 Fe 30
Earnewâld **NL** (FR) 4 Ff 30
Eastermar **NL** (FR) 4 Ga 29
Eben-Emael **B** (LIE) 19 Fe 44
Ebly **B** (LU) 31 Fd 49
Ecacheries, Les - **B** (H) 23 De 45
Ecaussinnes-d'Enghien **B** (H) 24 Ea 45
Ecaussinnes-Lalaing **B** (H) 24 Eb 45
Echt **NL** (L) 20 Ff 42
Echteld **NL** (GLD) 12 Fd 37
Echten **NL** (DR) 8 Gc 32
Echten **NL** (FR) 3 Fe 31
Echtenerbrug **NL** (FR) 4 Fe 31
Echterbosch **NL** (L) 20 Ff 42
Echternach **L** (GRE) 32 Gc 50
Echternacherbrück **L** (GRE) 32 Gc 50
Eckart **NL** (N-B) 12 Fd 40
Eckelrade **NL** (L) 20 Fe 44
Eck en Wiel **NL** (GLD) 12 Fc 37
Ecluse, L' - **B** (BR) 18 Ef 44
Edam **NL** (N-H) 7 Fa 33
Edam-Volendam **NL** (N-H) 7 Fa 33
Ede **B** (O-V) 17 Ea 43
Ede **NL** (GLD) 12 Fe 36
Edegem **B** (A) 18 Ec 42
Edelare **B** (O-V) 17 Dd 43
Edemolen **B** (O-V) 17 Dd 43
Ederveen **NL** (GLD) 7 Fd 36
Edewalle **B** (W-V) 16 Da 42
Edingen = Enghien **B** (H) 17 Ea 44
Ee **NL** (FR) 4 Ga 28
Eede **NL** (Z) 17 Dc 41
Eedtwijk **B** (O-V) 17 De 43
Eefde **NL** (GLD) 8 Gb 35
Eeklo **B** (O-V) 17 Dd 41
Eel **B** (A) 11 Fa 40
Eelde **NL** (DR) 4 Gd 30
Eelderwolde **NL** (DR) 4 Gd 29
Eembrugge **NL** (U) 7 Fb 35
Eemdijk **NL** (U) 7 Fc 35
Eemnes **NL** (U) 7 Fb 35
Eemster **NL** (DR) 4 Gc 31
Een **NL** (DR) 4 Gc 30
Eeneind **NL** (N-B) 12 Fd 40
Eenrum **NL** (GRO) 4 Gc 28
Eenum **NL** (GRO) 5 Ge 28
Een-West **NL** (DR) 4 Gc 30
Eerbeek **NL** (GLD) 8 Ga 36
Eerde **NL** (N-B) 12 Fd 39
Eernegem **B** (W-V) 16 Da 42
Eernewoude = Earnewâld **NL** (FR) 4 Ff 30
Eersel **NL** (N-B) 12 Fc 40
Ees **NL** (DR) 5 Gf 31
Eesergroen **NL** (DR) 5 Ge 31
Eesterga **NL** (FR) 3 Fe 31
Eestrum = Jistrum **NL** (FR) 4 Ga 29
Eesveen **NL** (O) 4 Ga 31
Eesvelde **B** (O-V) 17 Df 42
Eethen **NL** (N-B) 11 Fa 38
Eext **NL** (DR) 5 Ge 30
Eexterveen **NL** (DR) 5 Ge 30
Eexterzandvoort **NL** (DR) 5 Ge 30
Effen **NL** (N-B) 11 Ee 39
Egchel **NL** (L) 20 Ff 41
Egem **B** (W-V) 17 Db 42
Egemkapel **B** (W-V) 16 Db 42
Egenhoven **B** (BR) 18 Ee 43
Eggerseel **B** (A) 18 Ed 42
Eggewaartskapelle **B** (W-V) 16 Ce 42
Eghezée **B** (N) 25 Ef 45
Église, Autre- **B** (BR) 19 Ef 44
Église, Mesnil- **B** (N) 25 Ef 47
Egmond **NL** (N-H) 6 Ed 33
Egmond aan den Hoef **NL** (N-H) 6 Ee 33
Egmond aan Zee **NL** (N-H) 6 Ed 33
Egmond-Binnen **NL** (N-H) 6 Ee 33
Ehlange **L** (LUX) 32 Ga 51
Ehlerange **L** (LUX) 32 Ff 51
Ehnen **L** (GRE) 32 Gc 51
Eibergen **NL** (GLD) 9 Ge 36
Eibertingen **B** (LIE) 26 Gb 46
Eichem **B** (O-V) 17 Ea 44
Eigenbilzen **B** (LIM) 19 Fd 43
Eijsden **NL** (L) 20 Fe 44
Eik, Jezus- **B** (BR) 18 Ed 44
Eikevliet **B** (A) 18 Eb 42
Eikhoek **B** (W-V) 16 Cd 43
Eiksken **B** (O-V) 17 Dd 42
Eimerscheid **B** (LIE) 26 Gb 46
Eind **NL** (L) 20 Fe 41
Eind, Someren- **NL** (N-B) 12 Fe 40
Eind, 't **NL** (N-B) 12 Fb 39
Eindewege **NL** (Z) 10 De 40
Eindhout **B** (A) 19 Fa 42
Eindhoven **NL** (N-B) 12 Fd 40
Eine **B** (O-V) 17 Dd 43
Einighausen **NL** (L) 20 Ff 42
Eischen **L** (LUX) 31 Ff 50
Eisden **B** (LIM) 20 Fe 43
Eisenborn **L** (GRE) 32 Gb 50
Eizeringen **B** (BR) 18 Ea 44
Eke **B** (O-V) 17 Dd 43
Ekehaar **NL** (DR) 4 Gd 31
Ekelenburg **NL** (GLD) 8 Ff 34
Ekent **B** (O-V) 17 Df 43
Ekeren **B** (A) 18 Ec 41
Eksaarde **B** (O-V) 17 Df 42
Eksel, Hechtel- **B** (LIM) 19 Fc 42
Elahuizen **NL** (FR) 3 Fd 31
Elburg **NL** (GLD) 8 Ff 34
Elden **NL** (GLD) 12 Ff 37
Elderveld **NL** (GLD) 12 Ff 37
Eldik **NL** (GLD) 12 Fd 37
Electra **NL** (GRO) 4 Gc 29
Elen **B** (LIM) 20 Fe 42
Elewijt **B** (BR) 18 Ed 43
Eliksem **B** (BR) 19 Fa 44
Elim **NL** (DR) 8 Gd 32
Elingen **B** (BR) 18 Eb 44
Elkenrade **NL** (L) 20 Ff 43
Elkerzee **NL** (Z) 10 Df 38
Ell **L** (D) 31 Ff 50
Ell **NL** (L) 20 Fe 41
Ellange **L** (GRE) 32 Gb 51
Elle **B** (W-V) 16 Da 42
Ellecom **NL** (GLD) 8 Ga 36
Ellemeet **NL** (Z) 10 Df 38
Ellemelle **B** (LIE) 25 Fc 46
Ellersinghuizen **NL** (GRO) 5 Ha 30
Ellewoutsdijk **NL** (Z) 10 De 40
Ellezelles **B** (H) 17 De 44
Ellignies **B** (H) 17 Dd 44
Ellignies-Sainte-Anne **B** (H) 23 De 45
Ellikom **B** (LIM) 19 Fd 42
Elouges **B** (H) 23 De 46
Elp **NL** (DR) 5 Ge 31
Elsegem **B** (O-V) 17 Dd 44
Elsen **NL** (O) 8 Gd 35
Elsenborn, Camp - **B** (LIE) 26 Gb 46
Elsenborn **B** (LIE) 26 Gb 46
Elsendorp **NL** (N-B) 12 Fe 39
Elsene = Ixelles **B** (BR) 18 Ec 44
Elshof **NL** (O) 8 Gb 34
Elshout **NL** (N-B) 11 Fa 38
Elsloo **NL** (FR) 4 Gb 31
Elsloo **NL** (L) 20 Fe 43
Elspeet **NL** (GLD) 8 Fe 35
Elst **B** (O-V) 17 De 44
Elst **NL** (GLD) 12 Ff 37
Elst **NL** (U) 7 Fd 36
Elvange **L** (D) 31 Ff 50
Elvange **L** (GRE) 32 Gb 51
Elverdinge **B** (W-V) 16 Ce 43
Elversele **B** (O-V) 18 Ea 42
Elzen **NL** (N-B) 12 Fe 39
Elzenhoek **B** (A) 18 Ee 42
Elzenstraat **B** (A) 18 Ed 42
Emael, Eben- **B** (LIE) 19 Fe 44
Emblem **B** (A) 18 Ed 41
Emelgem **B** (W-V) 16 Db 43
Emerange **L** (GRE) 32 Gb 51
Emines **B** (N) 25 Ef 45
Emmadorp **NL** (Z) 17 Ea 41
Emmeloord **NL** (O) 7 Fe 32
Emmen **NL** (DR) 5 Gf 32
Emmen **NL** (O) 8 Gb 33
Emmer-Compascuum **NL** (DR) 5 Ha 32
Emmer-Erfscheidenveen **NL** (DR) 5 Ha 32
Emmerschans **NL** (DR) 5 Gf 32
Emminkhuizen **NL** (U) 7 Fd 36
Empe **NL** (GLD) 8 Ga 36
Empel **NL** (N-B) 12 Fc 38
Emptinnal **B** (N) 25 Fa 47
Emptinne **B** (N) 25 Fa 47
Emst **NL** (GLD) 8 Ff 35
Ename **B** (O-V) 17 Dd 43
Enfer **B** (H) 17 De 44
Engel **B** (W-V) 16 Da 42
Engel, De **NL** (Z-H) 6 Ed 35
Engeland **NL** (O) 9 Gd 33
Engelbert **NL** (GRO) 5 Ge 29
Engelen **NL** (N-B) 12 Fb 38
Engelhoek **B** (W-V) 17 Dc 43
Engelmanshoven **B** (LIM) 19 Fb 44
Engelum **NL** (FR) 3 Fe 29
Enghien = Edingen **B** (H) 17 Ea 44
Engis **B** (LIE) 25 Fc 45
Engreux **B** (LU) 26 Fe 48
Engsbergen **B** (LIM) 19 Fa 42
Engwierum **NL** (FR) 4 Ga 29
Enhet **B** (N) 25 Fa 47
Enines **B** (BR) 19 Ef 44
Enkhuizen **NL** (N-H) 7 Fb 32
Ennal **B** (LU) 26 Ff 46
Ens **NL** (O) 8 Ff 33
Enschede **NL** (O) 9 Gf 35
Enscherange **L** (D) 26 Ff 48
Enschot, Berkel- **NL** (N-B) 11 Fb 39
Ensival **B** (LIE) 26 Ff 45
Enter **NL** (O) 8 Gd 35
Enumatil **NL** (GRO) 4 Gc 29
Epe **NL** (GLD) 8 Ff 34
Epen **NL** (L) 20 Ff 44
Epinois **B** (H) 24 Eb 46
Epioux, Les **B** (LU) 31 Fb 50
Eppegem **B** (BR) 18 Ec 43
Eppeldorf **L** (D) 32 Gb 49
Eprave **B** (N) 25 Fa 48
Epse **NL** (GLD) 8 Gb 35
Erbaut **B** (H) 23 Df 45
Erbisœul **B** (H) 23 Df 45
Ere **B** (H) 23 Dc 45
Erembodegem **B** (O-V) 17 Ea 43
Erezée **B** (LU) 25 Fd 47
Erfscheidenveen, Emmer- **NL** (DR) 5 Ha 32
Erica **NL** (DR) 9 Gf 32
Erichem **NL** (GLD) 12 Fc 37
Erm **NL** (DR) 5 Gf 32
Ermelo **NL** (GLD) 7 Fd 35
Ermeton-sur-Biert **B** (N) 24 Ee 47
Ermitage, L' - **B** (N) 24 Eb 47
Ermsdorf **L** (D) 32 Gb 49
Ernage **B** (N) 24 Ee 45
Erneuville **B** (LU) 25 Fd 48
Ernonheid **B** (LIE) 25 Fe 46
Ernster **L** (LUX) 32 Gb 50
Erondegem **B** (O-V) 17 Df 43
Erp **NL** (N-B) 12 Fd 39
Erpekom **B** (LIM) 19 Fd 42
Erpeldange **L** (D) 26 Ff 49
Erpeldange **L** (GRE) 32 Gc 51
Erpe-Mere **B** (O-V) 17 Df 43
Erpent **B** (N) 25 Ef 46
Erpion **B** (H) 24 Ec 47
Erps-Kwerps **B** (BR) 18 Ed 43
Erquelinnes **B** (H) 24 Ea 47
Erquennes **B** (H) 23 De 46
Erria **B** (LIE) 26 Fe 46
Ertvelde **B** (O-V) 17 De 41
Erwetegem **B** (O-V) 17 De 43
Esbeek **NL** (N-B) 12 Fb 40
Escaillère, L' - **B** (H) 24 Ec 49
Escalette **B** (H) 17 De 44
Escanaffles **B** (H) 17 Dc 44
Esch **NL** (N-B) 12 Fb 39
Escharen **NL** (N-B) 12 Fe 38
Eschdorf **L** (D) 31 Ff 49
Eschette **L** (D) 31 Ff 50
Esch-sur-Alzette **L** (LUX) 32 Ff 51
Esch-sur-Sûre **L** (D) 31 Ff 49
Eschweiler **L** (D) 26 Ff 48
Eschweiler **L** (GRE) 32 Gb 50
Eselborn **B** (D) 26 Ga 48
Esen **B** (W-V) 19 Ef 42
Esneux **B** (LIE) 25 Fd 45
Espel **NL** (O) 7 Fd 32
Espeler **B** (LIE) 26 Ga 47
Espierres-Helchin = Spiere-Helkijn **B** (W-V) 17 Dc 44
Esplechin **B** (H) 23 Db 45
Essen **B** (A) 11 Ec 40
Essen **NL** (GLD) 7 Fe 36
Essenbeek **B** (BR) 18 Eb 44
Essene **B** (BR) 18 Ea 43
Est **NL** (GLD) 12 Fb 37
Estaimbourg **B** (H) 17 Db 44

Den Horn – Estaimbourg (B) (NL) (L) 37

Estaimpuis **B** (H) 16 Db 44
Estinnes-au-Mont **B** (H) 24 Ea 46
Estinnes-au-Val **B** (H) 24 Ea 46
Etalle **B** (LU) 31 Fd 50
Etersheim **NL** (N-H) 7 Fa 33
Ethe **B** (LU) 31 Fd 51
Etikhove **B** (O-V) 17 Dd 44
Etsberg **NL** (L) 20 Ga 42
Ettelbruck **L** (D) 32 Ga 49
Ettelgem **B** (W-V) 16 Da 41
Etten **NL** (GLD) 13 Gc 37
Etten-Leur **NL** (N-B) 11 Ee 39
Eugies **B** (H) 23 Df 46
Eupen **B** (LIE) 20 Ga 45
Eursinge **NL** (DR) 4 Gc 32
Euster, Den - **B** (A) 18 Ed 42
Evegnée **B** (LIE) 20 Fe 45
Evelette **B** (N) 25 Fb 46
Évêque, Meslin l' - **B** (H) 17 Df 45
Évêque-Waret, l' - **B** (LIE) 25 Fa 45
Everbeek **B** (O-V) 17 De 44
Everberg **B** (BR) 18 Ed 43
Everdingen **NL** (Z-H) 12 Fb 37
Evere **B** (BR) 18 Ec 43
Everfeld **B** (BR) 18 Ee 43
Evergem **B** (O-V) 17 De 42
Everlange **L** (D) 32 Ff 50
Everse **NL** (N-B) 11 Ed 39
Eversem **B** (BR) 18 Ec 43
Everslaar **B** (O-V) 17 Df 42
Evertsoord **NL** (L) 12 Ff 40
Evregnies **B** (H) 17 Db 44
Evrehailles **B** (N) 25 Ef 47
Ewijcksluis, Van **NL** (N-H) 2 Ef 31
Ewijk **NL** (GLD) 12 Fe 37
Exel **NL** (GLD) 8 Gc 35
Exel-Tol **NL** (GLD) 8 Gc 35
Exloërkijl **NL** (DR) 5 Gf 31
Exloërmond, Tweede **NL** (DR) 5 Gf 31
Exloo **NL** (DR) 5 Gf 31
Exmorra **NL** (FR) 3 Fc 30
Eygelshoven **NL** (L) 20 Ga 43
Eynatten **B** (LIE) 20 Ga 44
Eys **NL** (L) 20 Ff 43
Ezaart **B** (A) 19 Fa 41
Ezinge **NL** (GRO) 4 Gc 29
Ezumazijl **NL** (FR) 4 Ga 28

F

Fagnolle **B** (N) 24 Ed 48
Failon **B** (N) 25 Fb 46
Faimes **B** (LIE) 19 Fb 44
Falaën **B** (N) 24 Ee 47
Falisolle **B** (N) 24 Ed 46
Fallais **B** (LIE) 25 Fb 45
Falmagne **B** (N) 25 Ef 47
Falmignoul **B** (N) 25 Ef 47
Familleureux **B** (H) 24 Eb 45
Fanzel **B** (LU) 25 Fd 47
Farciennes **B** (H) 24 Ed 46
Farmsum **NL** (GRO) 5 Gf 29
Farnières **B** (LU) 26 Ff 47
Faulx-les-Tombes **B** (N) 25 Fa 46
Faurœulx **B** (H) 24 Ea 46
Fauvillers **B** (LU) 31 Fd 49
Fay-les-Veneurs **B** (LU) 31 Fa 49
Faymonville **B** (LIE) 26 Ga 46
Fays **B** (LIE) 26 Ff 45
Fays **B** (LU) 25 Fd 46
Fays **B** (N) 25 Fa 47
Fays-Famenne **B** (LU) 25 Fa 48
Fayt-le-Franc **B** (H) 23 De 46
Fayt'-lez-Manage **B** (H) 24 Eb 46
Feerwerd **NL** (GRO) 4 Gc 29
Felenne **B** (N) 24 Ef 48
Feluy **B** (H) 24 Eb 45
Feneur **B** (LIE) 20 Fe 44
Fenffe **B** (N) 25 Fa 47
Fennange **L** (LUX) 32 Ga 51
Fentange **L** (LUX) 32 Ga 51
Fernelmont **B** (N) 25 Ef 45
Ferooz **B** (N) 24 Ee 45
Ferrères **B** (LIE) 25 Fd 46
Ferwerd **NL** (FR) 3 Fe 28
Ferwerderadeel **NL** (FR) 3 Fe 29
Ferwoude **NL** (FR) 3 Fc 30
Feschaux **B** (N) 25 Ef 48
Feulen **L** (D) 32 Ga 49
Fexhe **B** (LIE) 19 Fd 44
Fexhe-le-Haut-Clocher **B** (LIE) 19 Fc 44
Figotterie **B** (H) 24 Ed 46
Fijnaart **NL** (N-B) 11 Ec 39
Fijnaart en Heijningen **NL** (N-B) 11 Ec 39
Filly **B** (LU) 26 Fe 48
Filot **B** (LIE) 25 Fd 46
Filsdorf **L** (GRE) 32 Gb 51
Fingig **L** (LUX) 31 Ff 51
Finkum **NL** (FR) 3 Fe 29
Finnevaux **B** (N) 25 Ef 48
Finsterthal **L** (LUX) 32 Ga 50
Finsterwolde **NL** (GRO) 5 Ha 29
Firdgum **NL** (FR) 3 Fd 29
Fischbach **B** (D) 26 Ga 48
Fischbach **L** (LUX) 32 Gb 50
Fisenne **B** (LU) 25 Fd 47
Fize-Fontaine **B** (LIE) 25 Fb 45
Fize-le-Marsal **B** (LIE) 19 Fc 44
Flament **B** (H) 24 Ea 45
Flamierge **B** (LU) 25 Fd 48
Flamizoulle **B** (LU) 25 Fd 48
Flatzbur **L** (D) 31 Fe 49
Flavion **B** (N) 24 Ee 47
Flawinne **B** (N) 24 Ee 46
Flaxweiler **L** (GRE) 32 Gc 50
Flémalle-Grande **B** (LIE) 25 Fc 45
Flémalle-Haute **B** (LIE) 25 Fc 45
Fleringen **NL** (O) 9 Ge 34
Fléron **B** (LIE) 19 Fe 45
Fleurus **B** (H) 24 Ed 46
Flevowijk **NL** (O) 8 Ff 33
Flobecq **B** (H) 17 De 44
Florée **B** (N) 25 Fa 46
Floreffe **B** (N) 24 Ee 46
Florennes **B** (N) 24 Ed 47
Florenville **B** (LU) 31 Fb 50
Floriffoux **B** (N) 24 Ee 46
Fluitenberg **NL** (DR) 8 Gc 32
Focant **B** (N) 25 Fa 48
Fochteloo **NL** (FR) 4 Gc 31
Folkendange **L** (D) 32 Gb 49
Follega **NL** (FR) 3 Fe 31
Folschette **L** (D) 31 Ff 50
Folsgare **NL** (FR) 3 Fd 30
Folx-les-Caves **B** (BR) 19 Ef 45
Fontaine **B** (LIE) 19 Fc 45
Fontaine-Haute **B** (H) 24 Eb 47
Fontaine-l'Evêque **B** (H) 24 Eb 46
Fontaine-Valmont **B** (H) 24 Eb 47
Fontenaille **B** (LU) 26 Fe 48
Fontenelle **B** (H) 23 Dd 45
Fontenelle **B** (N) 24 Ec 47
Fontenoille **B** (LU) 31 Fb 50
Fonteny **B** (BR) 24 Ec 45
Fontin **B** (LIE) 25 Fd 45
Fooz **B** (LIE) 19 Fc 44
Forchies-la-Marche **B** (H) 24 Eb 46
Forest **B** (H) 17 Dd 44
Forest = Vorst **B** (BR) 18 Ec 44
Forêt **B** (LIE) 26 Fe 45
Forge-Philippe **B** (H) 24 Eb 49
Forges **B** (H) 24 Eb 48
Forges, les - **B** (LIE) 26 Fe 45
Formerum **NL** (FR) 3 Fb 28
Forrières **B** (LU) 25 Fb 48
Fort **NL** (DR) 8 Gc 33
Fortem **B** (W-V) 16 Ce 42
Forville **B** (N) 25 Fa 45
Forzée **B** (N) 25 Fb 47
Fosse **B** (LIE) 26 Ff 46
Fosse, la - **B** (LU) 25 Fd 47
Fosses, Les - **B** (LU) 31 Fc 50
Fosses-la-Ville **B** (N) 24 Ee 46
Fouhren **L** (D) 26 Gb 49
Fouleng **B** (H) 23 Df 45
Fourbechies **B** (H) 24 Eb 47
Fourche, la - **B** (LU) 26 Fe 46
Fourons = Voeren **B** (LIM) 20 Fe 44
Foxhol **NL** (GRO) 5 Ge 30
Foy **B** (LU) 26 Fe 48
Foy-Notre-Dame **B** (N) 25 Ef 47
Frahan **B** (LU) 30 Fa 49
Fraineux **B** (LIE) 25 Fc 45
Fraipont **B** (LIE) 26 Fe 45
Fraire **B** (N) 24 Ed 47
Fraiture **B** (LIE) 25 Fc 46
Fraiture **B** (LIE) 25 Fd 46
Fraiture **B** (LU) 26 Fe 47
Frameries **B** (H) 23 Df 46
Framont **B** (LU) 31 Fa 49
Francheville **B** (LIE) 26 Ga 46
Franchimont **B** (N) 24 Ed 47
Francorchamps **B** (LIE) 26 Ff 46
Franc-Waret **B** (N) 25 Fa 45
Frandeux **B** (N) 25 Fb 47
Franeker **NL** (FR) 3 Fd 29
Franekeradeel **NL** (FR) 3 Fc 30
Franière **B** (N) 24 Ee 46
Frankhuis **NL** (O) 8 Ga 33
Frankrijk **NL** (GLD) 7 Fe 34
Frasies **B** (H) 24 Eb 47
Frasnes **B** (N) 24 Ed 48
Frasnes-les-Gosselies **B** (H) 24 Ec 45
Frasnes-lez-Anvaing **B** (H) 17 Dd 44
Frasnes-lez-Buissenal **B** (H) 17 Dd 44
Frassem **B** (LU) 31 Fe 50
Fratin **B** (LU) 31 Fd 51
Frederiksoord **NL** (DR) 4 Gb 31
Freineux **B** (LU) 25 Fd 47
Freux-Méril **B** (LU) 25 Fc 49
Freux-Suzerain **B** (LU) 25 Fc 49
Freylange **B** (LU) 31 Fe 50
Frezenberg **B** (W-V) 16 Cf 43
Friens **NL** (FR) 4 Fe 30
Frieschepalen **NL** (FR) 4 Gb 30
Frisange **L** (LUX) 32 Gb 51
Frisée **B** (N) 25 Fa 46
Froidchapelle **B** (H) 24 Eb 48
Froidfontaine **B** (N) 25 Fa 48
Froid-Lieu **B** (LU) 25 Fa 48
Froidmont **B** (H) 23 Dc 45
Fromiée **B** (H) 24 Ed 46
Fronville **B** (LU) 25 Fc 47
Froombosch **NL** (GRO) 5 Ge 29
Froyennes **B** (H) 23 Dc 45
Fumal **B** (LIE) 25 Fb 45
Furfooz **B** (N) 25 Ef 47
Furnaux **B** (N) 24 Ee 47

G

Gaag **NL** (Z-H) 10 Eb 37
Gaanderen **NL** (GLD) 13 Gc 37
Gaasbeek **B** (BR) 18 Eb 44
Gaast **NL** (FR) 3 Fc 30
Gaasterlân-Sleat **NL** (FR) 3 Fc 31
Gaastmeer **NL** (FR) 3 Fd 31
Gages **B** (H) 23 Df 45
Gaichel **L** (LUX) 31 Ff 50
Galder **NL** (N-B) 11 Ee 39
Galhausen **B** (LIE) 26 Ga 47
Gallaix **B** (H) 23 Dd 45
Galmaarden **B** (BR) 17 Df 44
Gameren **NL** (GLD) 12 Fb 38
Gammelke **NL** (O) 9 Gf 35
Ganshoren **B** (BR) 18 Eb 43
Ganzedijk **NL** (GRO) 5 Ha 29
Ganzert **NL** (GLD) 12 Fc 37
Gapinge **NL** (Z) 10 Dd 39
Garderen **NL** (GLD) 7 Fe 35
Garijp = Garyp **NL** (FR) 4 Ff 29
Garmerwolde **NL** (GRO) 4 Ge 29
Garnich **L** (LUX) 31 Ff 51
Garnwerd **NL** (GRO) 4 Gd 29
Garrelsweer **NL** (GRO) 5 Ge 29
Garsthuizen **NL** (GRO) 5 Ge 28
Garyp **NL** (FR) 4 Ff 29
Gasperich **L** (LUX) 32 Ga 51
Gassel **NL** (N-B) 12 Fe 38
Gasselte **NL** (DR) 5 Ge 31
Gasselternijveen **NL** (DR) 5 Gf 31
Gastel **NL** (N-B) 19 Fd 41
Gasteren **NL** (DR) 5 Ge 30
Gastuche **B** (BR) 18 Ee 44
Gaurain-Ramecroix **B** (H) 23 Dc 45
Gauw **NL** (FR) 4 Fe 30
Gavere **B** (O-V) 17 De 43
Gdoumont **B** (LIE) 26 Ga 46
Gedinge-Station **B** (N) 25 Ef 49
Gedinne **B** (N) 25 Ef 49
Geel **B** (A) 19 Fa 42
Geer **B** (LIE) 19 Fb 44
Geersdijk **NL** (Z) 10 De 39
Geertruidenberg **NL** (N-B) 11 Ef 38
Gees **NL** (DR) 5 Ge 32
Geesbrug **NL** (DR) 9 Gd 32
Geest, Saint-Jean- **B** (BR) 18 Ef 44
Geest, Saint-Marie- **B** (BR) 18 Ef 44
Geest, Saint-Remy- **B** (BR) 18 Ef 44
Geest **B** (BR) 19 Ef 45
Geesteren **NL** (GLD) 8 Gd 36
Geesteren **NL** (O) 9 Ge 34
Geetbets **B** (BR) 19 Fa 43
Geetsveld **B** (BR) 18 Ee 43
Geeuwenbrug **NL** (DR) 4 Gc 31
Geffen **NL** (N-B) 12 Fc 38
Geijsteren **NL** (L) 12 Ga 39
Geistingen **B** (LIM) 20 Fe 42
Gelbressée **B** (N) 25 Ef 45
Geldermalsen **NL** (GLD) 12 Fb 37
Gelderse Buurt **NL** (N-H) 2 Ee 31
Gelderswoude **NL** (Z-H) 6 Ed 36
Geldrop **NL** (N-B) 12 Fd 40
Geleen **NL** (L) 20 Ff 43
Gelieren **B** (LIM) 19 Fd 43
Gelkenes **NL** (Z-H) 11 Ef 37
Gellicum **NL** (GLD) 11 Fb 37
Gellik **B** (LIM) 19 Fd 43
Geloo **NL** (L) 13 Ga 41
Gelrode **B** (BR) 18 Ee 43
Gelselaar **NL** (GLD) 8 Gd 35
Geluveld **B** (W-V) 16 Cf 44
Geluwe **B** (W-V) 16 Da 44
Gembes **B** (LU) 25 Fa 49
Gembloux-sur-Orneau **B** (N) 24 Ee 45
Gemechene **B** (N) 25 Ef 47
Gemehret **B** (LIE) 20 Ga 45
Gemert **NL** (N-B) 12 Fe 39
Gemmenich **B** (LIE) 20 Ga 44
Gemonde **NL** (N-B) 12 Fc 39
Genappe **B** (BR) 24 Ec 45
Genderen **NL** (N-B) 11 Fa 38
Gendringen **NL** (GLD) 13 Gc 37
Gendron **B** (N) 25 Ef 47
Gendt **NL** (GLD) 12 Ff 37
Geneberg **B** (LIM) 19 Fb 42
Genemuiden **NL** (O) 8 Ga 33
Genenbos **B** (LIM) 19 Fb 42
Genendijk **B** (LIM) 19 Fa 42
Genimont **B** (N) 25 Fa 48
Gening **NL** (L) 13 Ga 39
Genk **B** (LIM) 19 Fd 43
Genly **B** (H) 23 Df 46
Genne **NL** (O) 8 Ga 33
Gennep **NL** (L) 13 Ga 38
Gennevaux **B** (LU) 31 Fd 50
Genoelselderen **B** (LIM) 19 Fd 44
Gent **B** (O-V) 17 De 42
Gentbrugge **B** (O-V) 17 De 42
Gentinnes **B** (BR) 24 Ed 45
Genum **NL** (FR) 4 Ff 29
Genval **B** (BR) 18 Ed 44
Geraardsbergen **B** (O-V) 17 Df 44
Gerin **B** (N) 24 Ee 47
Géripont **B** (LU) 31 Fb 49
Gerkesklooster **NL** (FR) 4 Gb 29
Gerner **NL** (O) 8 Gb 33
Géromont **B** (LIE) 26 Ga 46
Gérouville **B** (LU) 31 Fc 51
Gerpinnes **B** (H) 24 Ed 46
Gersloot **NL** (FR) 4 Ff 30
Gerwen **NL** (N-B) 12 Fd 40
Gestel **B** (A) 18 Ee 42
Gestel **B** (A) 19 Fa 42
Gestel **B** (LIM) 19 Fb 42
Gesves **B** (N) 25 Fa 46
Geulle **NL** (L) 20 Fe 43
Geuzenbos **B** (W-V) 16 Da 42
Geuzenveld **NL** (N-H) 6 Ee 34
Geverik **NL** (L) 20 Fe 43
Gewande **NL** (N-B) 12 Fc 38
Geyershof **L** (GRE) 32 Gc 50
Gheer, Le - **B** (H) 16 Cf 44
Ghislenghien **B** (H) 17 Df 45
Ghlin **B** (H) 23 Df 46
Ghoy **B** (H) 17 De 44
Gibecq **B** (H) 17 Df 45
Giekerk = Gytsjerk **NL** (FR) 4 Ff 29
Gierle **B** (A) 18 Ef 41
Giersbergen **NL** (N-B) 11 Fb 39
Giesbeek **NL** (GLD) 13 Ga 37
Giessen **NL** (N-B) 11 Fa 38
Giessenburg **NL** (Z-H) 11 Ef 37
Giessendam, Hardinxveld- **NL** (Z-H) 11 Ef 38
Giessenlanden **NL** (Z-H) 11 Ef 37
Giessen-Oudekerk **NL** (Z-H) 11 Ef 37
Gietelo **NL** (GLD) 8 Ga 35
Gieten **NL** (DR) 5 Ge 30
Gieterveen **NL** (DR) 5 Gf 30
Giethmen **NL** (O) 8 Gc 33
Giethoorn **NL** (O) 8 Ga 32
Gijbeland **NL** (Z-H) 11 Ee 37
Gijzegem **B** (O-V) 17 Ea 43
Gijzelbrechtegem **B** (W-V) 17 Dd 44
Gijzenzele **B** (O-V) 17 De 43
Gilly **B** (H) 24 Eb 46
Gilsdorf **L** (D) 32 Gb 49
Gilze **NL** (N-B) 11 Ef 39
Gilze en Rijen **NL** (N-B) 11 Ef 39
Gimnée **B** (N) 24 Ee 48
Gingelom **B** (LIM) 19 Fa 44
Ginkel, De **NL** (GLD) 7 Fe 36
Ginneken **NL** (N-B) 11 Ef 39
Ginste **B** (W-V) 17 Dc 43
Girst **L** (GRE) 32 Gd 50
Girsterklause **L** (GRE) 32 Gd 50
Gistel **B** (W-V) 16 Cf 42
Gistoux **B** (BR) 18 Ee 44
Gistoux, Chaumont- **B** (BR) 18 Ee 44
Gits **B** (W-V) 16 Da 43
Gives **B** (LIE) 25 Fb 45
Gives **B** (LU) 25 Fd 48
Givroulle **B** (LU) 25 Fd 48
Givry **B** (H) 23 Ea 46
Givry **B** (LU) 25 Fd 48
Giwenich **L** (GRE) 32 Gc 50
Glabais **B** (BR) 24 Ec 45
Glabbeek **B** (BR) 19 Ef 43
Glaireuse **B** (LU) 25 Fb 49
Glane **NL** (O) 9 Ha 35
Glanerbrug **NL** (O) 9 Gf 35
Glanerie, La - **B** (H) 23 Db 45
Gleize, la - **B** (LIE) 26 Ff 46
Glimes **B** (BR) 18 Ef 44
Glimmen **NL** (GRO) 4 Gd 30
Glind, De **NL** (GLD) 7 Fd 36
Glip, De **NL** (N-H) 6 Ed 34
Glons **B** (LIE) 19 Fd 44
Gnephoek **NL** (Z-H) 6 Ed 36
Gobbelsrode **B** (BR) 18 Ee 43
Gochenée **B** (N) 24 Ee 47
Godarville **B** (H) 24 Eb 45
Godbrange **L** (GRE) 32 Gb 50
Godène **B** (H) 24 Eb 45
Gödingen **L** (GRE) 26 Ga 48
Godinne **B** (N) 25 Ef 46
Godlinze **NL** (GRO) 5 Gf 28
Godsheide **B** (LIM) 19 Fc 43
Godveerdegem **B** (BR) 18 Eb 43
Goé **B** (LIE) 20 Ff 45
Goeblange **L** (LUX) 32 Ff 50
Goedereede **NL** (Z-H) 10 Ea 38
Goënga **NL** (FR) 4 Fe 30
Goëngahuizen **NL** (FR) 4 Ff 30
Goes **NL** (Z) 17 Df 40
GŒsdorf **L** (D) 26 Ff 49
Goesnes **B** (N) 25 Fb 46
Goetsenhofen **B** (BR) 19 Ef 44
Goetzingen **L** (LUX) 32 Ff 51
Goidschalxoord **NL** (Z-H) 11 Ec 38
Goingarijp **NL** (FR) 4 Fe 30
Goirle **NL** (N-B) 11 Fa 39
Gomery **B** (LU) 31 Fd 51
Gomezée, Yves- **B** (N) 24 Ec 47
Gompel **B** (A) 19 Fb 41
Gomzé **B** (LIE) 25 Fe 45
Gonderange **L** (GRE) 32 Gb 50
Gondregnies **B** (H) 23 Df 45
Gonoy **B** (N) 24 Ee 46
Gonrieux **B** (N) 24 Ec 48
Gooik **B** (BR) 18 Ea 44
Goor **B** (A) 18 Ee 42
Goor **NL** (O) 9 Gd 35
Gooreind **B** (A) 11 Ed 40
Goorn, De **NL** (N-H) 7 Ef 33
Goreux, Voroux- **B** (LIE) 19 Fc 45
Gorinchem **NL** (Z-H) 11 Ef 37
Goronne **B** (LU) 26 Ff 47
Gorp **NL** (N-B) 11 Fa 40
Gorredijk **NL** (FR) 4 Ga 30
Gors, De **NL** (N-H) 6 Ef 34
Gorsem **B** (LIM) 19 Fb 43
Gors-Opleeuw **B** (LIM) 19 Fc 44
Gorssel **NL** (GLD) 8 Gb 35
Gortel **NL** (GLD) 8 Ff 35
Gosseldange **L** (LUX) 32 Ga 50
Gosselies **B** (H) 24 Ec 46
Gostingen **L** (GRE) 32 Gc 51
Gotem **B** (LIM) 19 Fc 44
Gottechain **B** (BR) 18 Ee 44
Gottem **B** (O-V) 17 Dc 43
Gottignies **B** (H) 23 Ea 45
Gouda **NL** (Z-H) 11 Ee 36
Gouden Ploeg **NL** (O) 9 Gd 33
Gouderak **NL** (Z-H) 11 Ee 37
Goudriaan **NL** (Z-H) 11 Ef 37
Goudswaard **NL** (Z-H) 10 Eb 38
Gougnies **B** (H) 24 Ed 46
Gourdinne **B** (N) 24 Ec 47
Gouvy **B** (LU) 26 Ff 47
Gouwe **NL** (N-H) 7 Ef 32
Gouy-lez-Piéton **B** (H) 24 Ec 46
Goy, 't **NL** (U) 12 Fb 36
Gozée **B** (H) 24 Ec 46
Gozin **B** (N) 25 Ef 48
Graafland **NL** (Z-H) 11 Ef 37
Graafstroom **NL** (Z-H) 11 Ef 37
Graauw **NL** (Z) 17 Ea 41
Grâce **B** (LIE) 19 Fd 45
Grafhorst **NL** (O) 8 Ff 33
Graft-De Rijp **NL** (N-H) 6 Ee 33
Graide **B** (N) 25 Fa 49
Graide-Station **B** (N) 25 Fa 49
Gralingen **L** (D) 26 Ga 49
Grammene **B** (O-V) 17 Dd 43
Gramptinne **B** (N) 25 Fa 46
Gramsbergen **NL** (O) 9 Ge 33
Grancourt **B** (LU) 31 Fd 51
Grand-Baquet **B** (H) 17 Dd 44
Grande Eneille **B** (LU) 25 Fc 47
Grande-Hoursienne **B** (LU) 25 Fd 47
Grandglise **B** (H) 23 De 45
Grand-Hallet **B** (LIE) 19 Fa 44
Grand Halleux **B** (LU) 26 Ff 46
Grandhan **B** (LU) 25 Fc 46
Grand-Heid **B** (LIE) 26 Fe 46
Grand-Leez **B** (N) 24 Ee 45
Grandmenil **B** (LU) 25 Fd 47
Grandmetz **B** (H) 23 Dd 45
Grand-Mormont **B** (LU) 26 Fe 48
Grand-Rechain **B** (LIE) 20 Fe 45
Grand-Reng **B** (H) 23 Ea 46
Grandrieu **B** (H) 24 Eb 47
Grand-Rosière-Hottomont **B** (BR) 25 Ef 45
Grandrue **B** (LU) 26 Fe 49
Grandvoir **B** (LU) 31 Fc 49
Graphontaine **B** (LU) 31 Fc 50
Grashoek **NL** (L) 12 Ff 40
Grathem **NL** (L) 20 Ff 41
Gratière **B** (H) 24 Ec 48
Graty **B** (H) 17 Ea 45
Graulinster **L** (GRE) 32 Gb 50
Graux **B** (N) 24 Ee 47

38 (B) (NL) (L) **Estaimpuis – Graux**

Herpt **NL** (N-B) 11 Fb 38
Herquegies **B** (H) 23 Dd 45
Herresbach **B** (LIE) 26 Gb 47
Herseaux **B** (H) 16 Db 44
Herselt **B** (A) 19 Ef 42
Herstal **B** (LIE) 19 Fd 44
Herstappe **B** (LIM) 19 Fc 44
Herten **NL** (L) 20 Ff 41
Herthoek **B** (W-V) 16 Da 44
Hertme **NL** (O) 9 Ge 35
Hertog, Baarle- = Bearle-Duc **B** (A) 11 Ef 40
Hertogenbosch, 's- **NL** (N-B) 12 Fc 38
Hertsberge **B** (W-V) 16 Db 42
Herve **B** (LIE) 20 Fe 45
Herveld **NL** (GLD) 12 Fe 37
Herwen **NL** (GLD) 13 Ga 37
Herwijnen **NL** (GLD) 11 Fa 38
Herxen **NL** (O) 8 Ga 34
Herzele **B** (O-V) 17 Df 43
Hesbaye, La - **B** (LIE) 25 Fb 45
Hesperange **L** (LUX) 32 Gb 51
Hessum **NL** (O) 8 Gb 33
Hestre, La - **B** (H) 24 Eb 46
Het Beijersche **NL** (Z-H) 11 Ee 37
Het Bildt **NL** (FR) 3 Fd 29
Heteren **NL** (GLD) 12 Fe 37
Het Lage Land **NL** (Z-H) 11 Ed 37
Het Sas **B** (BR) 18 Ec 43
Het Schouw **NL** (N-H) 7 Ef 34
Het Ven **NL** (L) 13 Gb 40
Het Woud **NL** (N-H) 6 Ee 33
Het Zoute **B** (W-V) 17 Db 40
Heuem **B** (LIE) 26 Gb 47
Heufkenstraat **B** (O-V) 17 De 43
Heugem **NL** (L) 20 Fe 43
Heukelom **NL** (L) 13 Ga 39
Heukelom **NL** (N-B) 12 Fb 39
Heukelum **NL** (Z-H) 11 Fa 37
Heul, De **NL** (N-H) 6 Ef 34
Heule **B** (W-V) 17 Db 43
Heultje **B** (A) 18 Ef 42
Heumen **NL** (GLD) 12 Ff 38
Heur, Diets- **B** (LIM) 19 Fd 44
Heure **B** (N) 25 Fb 47
Heure-le-Romain **B** (LIE) 19 Fd 44
Heurne **B** (O-V) 17 Dd 43
Heurne, De **NL** (GLD) 13 Gd 37
Heusden **B** (O-V) 17 De 42
Heusden **NL** (N-B) 11 Fa 38
Heusden **NL** (N-B) 12 Fe 40
Heusden-Zolder **B** (LIM) 19 Fb 42
Heusy **B** (LIE) 26 Ff 45
Heuvel **B** (LIM) 19 Fc 41
Heuvel, De **NL** (N-B) 12 Fc 40
Heuvels **NL** (N-B) 12 Fd 38
Heveadorp **NL** (GLD) 12 Fe 37
Hévillers **B** (BR) 24 Ed 45
Hèvremont **B** (LIE) 26 Ff 45
Heyd **B** (LU) 25 Fd 46
Heythuysen **NL** (L) 20 Ff 41
Hèze **B** (BR) 18 Ee 44
Hiaure **NL** (FR) 4 Ff 28
Hichtum **NL** (FR) 3 Fd 30
Hien **NL** (GLD) 12 Fe 37
Hierden **NL** (GLD) 7 Fe 34
Hierlot **B** (LIE) 26 Fe 47
Hieslum **NL** (FR) 3 Fc 30
Hijfte **B** (O-V) 17 De 42
Hijken **NL** (DR) 4 Gd 31
Hijkersmilde **NL** (DR) 4 Gc 31
Hijlaard **NL** (FR) 4 Fe 30
Hijum **NL** (FR) 3 Fe 29
Hille **B** (W-V) 16 Db 42
Hillegem **B** (O-V) 17 Df 43
Hillegersberg **NL** (Z-H) 11 Ed 37
Hillegom **NL** (Z-H) 6 Ed 35
Hilvarenbeek **NL** (N-B) 11 Fa 40
Hilversum **NL** (N-H) 7 Fb 35
Hindeloopen **NL** (FR) 3 Fc 31
Hinderhausen **B** (LIE) 26 Ga 47
Hingene **B** (A) 18 Eb 42
Hingeon **B** (N) 25 Fa 45
Hippolytushoef **NL** (N-H) 3 Ef 31
Hitsertse Kade **NL** (Z-H) 11 Ec 38
Hitzum **NL** (FR) 3 Fd 30
Hivange **L** (LUX) 31 Ff 51
Hives **B** (LU) 25 Fd 48
Hoboken **B** (A) 18 Ec 41
Hobrede **NL** (N-H) 7 Ef 33
Hobscheid **L** (LUX) 31 Ff 50
Hochkreuz **B** (LIE) 26 Ga 47
Hockay **B** (LIE) 26 Ga 46
Hodbomont **B** (LIE) 26 Fe 45
Hodeige **B** (LIE) 19 Fc 44
Hodister **B** (LU) 25 Fc 47
Hody **B** (LIE) 25 Fd 46
Hoedekenskerke **NL** (Z) 10 Df 40
Hoef, De **NL** (U) 6 Ef 35
Hoegaarden **B** (BR) 19 Ef 44
Hoeilaart **B** (BR) 18 Ec 44
Hoek **B** (A) 11 Ec 40
Hoek, Den - **B** (O-V) 17 Df 43
Hoek **NL** (Z) 17 De 41
Hoek, De **NL** (N-H) 6 Ee 35
Hoeke **B** (W-V) 17 Dc 41
Hoeksen **B** (O-V) 17 Dd 42
Hoek van Holland **NL** (Z-H) 10 Ea 37
Hoeleden **B** (BR) 19 Fa 43
Hoenderloo **NL** (GLD) 8 Ff 36
Hoenkoop **NL** (U) 6 Ef 36
Hoensbroek **NL** (L) 20 Ff 43
Hoenzadriel **NL** (GLD) 12 Fc 38
Hoepertingen **B** (LIM) 19 Fb 44
Hoeselt **B** (LIM) 19 Fd 43
Hoeve **B** (BR) 18 Ea 44
Hoeve, De **NL** (FR) 4 Ga 31
Hoevelaken **NL** (GLD) 7 Fd 35
Hoeven **NL** (N-B) 11 Ed 39
Hoevenen **B** (A) 18 Ec 41
Hoeven-Zavel **B** (LIM) 19 Fd 42
Hoffelt **L** (D) 26 Ff 48
Hofstade **B** (BR) 18 Ed 43
Hofstade **B** (O-V) 17 Ea 43
Hogebeintum **NL** (FR) 4 Ff 28
Hogebrug **NL** (Z-H) 11 Ee 36
Hogen **B** (BR) 19 Fa 43
Hogenweg **B** (A) 19 Ef 42
Hogne **B** (N) 25 Fb 47
Hognoul **B** (LIE) 19 Fc 44
Hoksem **B** (BR) 19 Ef 44
Hole, Ter **NL** (Z) 10 Ea 40
Holk **NL** (GLD) 7 Fc 35
Hollain **B** (H) 23 Dc 45
Hollandsche Rading **NL** (U) 7 Fb 35
Hollandsche Veld **NL** (DR) 8 Gd 32
Hollange **B** (LU) 31 Fe 49
Hollebeke **B** (W-V) 16 Cf 44
Hollenfels **L** (LUX) 32 Ga 50
Holler **L** (D) 26 Ga 48
Hollerich **L** (LUX) 32 Ga 51
Hollogne-sur-Geer **B** (LIE) 19 Fb 44
Hollum **NL** (FR) 3 Fd 28
Holsbeek **B** (BR) 18 Ee 43
Holte **NL** (GRO) 5 Ha 30
Holten **NL** (O) 8 Ga 33
Holten **NL** (O) 8 Gc 35
Holthe **NL** (DR) 4 Gd 31
Holthees **NL** (N-B) 13 Ga 39
Holtum **NL** (L) 20 Ff 42
Holtz **L** (D) 31 Fe 50
Holven **B** (A) 19 Fa 41
Holwerd **NL** (FR) 4 Ff 28
Holwierde **NL** (GRO) 5 Gf 28
Holy **NL** (Z-H) 10 Ec 37
Holysloot **NL** (N-H) 7 Fa 34
Holzem **L** (LUX) 32 Ff 51
Holzheim **B** (LIE) 26 Gb 46
Holzthum **L** (D) 26 Ga 49
Hombeek **B** (A) 18 Ec 42
Hombourg **B** (LIE) 20 Ff 44
Hommerts **NL** (FR) 3 Fd 31
Homoet **NL** (GLD) 12 Fe 37
Hompré **B** (LU) 26 Fe 49
Hondelange **B** (LU) 31 Fe 51
Hondzocht **B** (BR) 18 Eb 44
Hongerige Wolf **NL** (GRO) 5 Ha 29
Honnay **B** (N) 25 Fa 48
Honselersdijk **NL** (Z-H) 10 Eb 36
Honsem **B** (BR) 18 Ef 44
Honsfeld **B** (LIE) 26 Gb 46
Hontenisse **NL** (Z) 10 Df 40
Honthem **NL** (L) 20 Fe 44
Honville **B** (LU) 31 Fe 49
Honvolez **B** (LU) 26 Ff 47
Hony **B** (LIE) 25 Fd 45
Hoofddorp **NL** (N-H) 6 Ee 35
Hoofdplaat **NL** (Z) 10 De 40
Hoogblokland **NL** (Z-H) 11 Ef 37
Hoogboeregem **B** (O-V) 17 Dd 43
Hoogboom **B** (A) 18 Ec 41
Hoog Buurlo **NL** (GLD) 8 Ff 35
Hooge Enk **NL** (GLD) 8 Ff 34
Hooge en Lage Mierde **NL** (N-B) 11 Fa 40
Hooge en Lage Zwaluwe **NL** (N-B) 11 Ee 38
Hoogehaar **NL** (DR) 9 Ge 32
Hooge Hexel **NL** (O) 8 Gd 34
Hoogeind **NL** (Z-H) 11 Fa 37
Hoogeloon **NL** (N-B) 12 Fb 40
Hooge Mierde **NL** (N-B) 11 Fa 40
Hoogengraven **NL** (O) 8 Gd 33
Hoogenweg **NL** (O) 9 Ge 33
Hoogerheide **NL** (N-B) 11 Ec 40
Hoogersmilde **NL** (DR) 4 Gc 31
Hoogeveen **NL** (DR) 8 Gc 32
Hoogezand-Sappemeer **NL** (GRO) 5 Ge 30
Hooge Zwaluwe **NL** (N-B) 11 Ee 38
Hooghalen **NL** (DR) 4 Gd 31
Hoogkarspel **NL** (N-H) 7 Fb 32
Hoog-Keppel **NL** (GLD) 13 Gb 36
Hoogkerk **NL** (GRO) 4 Gd 29
Hoogland **NL** (U) 7 Fc 35
Hooglanderveen **NL** (U) 7 Fc 35
Hooglede **B** (W-V) 16 Da 43
Hoogmade **NL** (Z-H) 6 Ed 35
Hoog Soeren **NL** (GLD) 8 Ff 35
Hoogstade **B** (W-V) 16 Ce 43
Hoogstraat **B** (A) 18 Ed 42
Hoogstraten **B** (A) 11 Ee 40
Hoogvliet **NL** (Z-H) 11 Ec 37
Hoogwoud **NL** (N-H) 6 Ef 32
Hoogzand = It Heechsân **NL** (FR) 4 Ga 29
Hooirt **B** (O-V) 18 Ea 42
Hooithoek **B** (W-V) 17 Db 42
Hool, Den **NL** (DR) 9 Ge 32
Hoonhorst **NL** (O) 8 Gb 34
Hoophuizen **NL** (GLD) 7 Fe 34
Hoorn, Den - **B** (W-V) 17 Dc 41
Hoorn, Den - **B** (W-V) 17 Dc 42
Hoorn **NL** (FR) 3 Fc 28
Hoorn **NL** (N-H) 7 Fa 33
Hoorn, Den **NL** (N-H) 2 Ee 30
Hoorn, Den **NL** (Z-H) 10 Ec 36
Hoorn, Wehe-den **NL** (FR) 4 Gc 28
Hoornaar **NL** (Z-H) 11 Ef 37
Hoornsterzwaag **NL** (FR) 4 Gb 30
Hoornsterzwaagcompagnie **NL** (FR) 4 Ga 30
Hoorzik **NL** (GLD) 12 Fc 38
Horebeke, Sint Maria- **B** (O-V) 17 De 43
Horebeke, Sint-Kornelis- **B** (O-V) 17 De 43
Horebeke **B** (O-V) 17 De 43
Horendonk **B** (A) 11 Ed 40
Horion-Hozémont **B** (LIE) 19 Fc 45
Horn **NL** (L) 20 Ff 41
Horn, Den **NL** (GRO) 4 Gc 29
Hornhuizen **NL** (GRO) 4 Gc 28
Horntje, 't **NL** (N-H) 2 Ee 30
Hornu **B** (H) 23 Df 46
Horpmaal **B** (LIM) 19 Fc 44
Horrues **B** (H) 23 Ea 45
Horssen **NL** (GLD) 12 Fd 37
Horst **NL** (GLD) 7 Fd 35
Horst **NL** (L) 13 Ga 40
Horst, De **NL** (GLD) 12 Ff 38
Horsten **NL** (GRO) 5 Ha 31
Horstermeer **NL** (N-H) 7 Fa 35
Hoscheid **L** (D) 26 Ga 49
Hoscheider Dickt **L** (D) 26 Ga 49
Hosingen **L** (D) 26 Ga 48
Hostert **L** (D) 31 Ff 50
Hottomont, Grand-Rosière- **B** (BR) 25 Ef 45
Hotton **B** (LU) 25 Fc 47
Houdemont **B** (LU) 31 Fd 50
Houdeng-Aimeries **B** (H) 24 Ea 46
Houdeng-Goegnies **B** (H) 24 Ea 46
Houdremont **B** (N) 30 Ef 49
Houdrigny **B** (LU) 31 Fc 51
Houffalize **B** (LU) 26 Fe 48
Houilly **B** (H) 16 Db 45
Houmart **B** (LU) 25 Fc 46
Houmont **B** (LU) 25 Fd 49
Houppe **B** (H) 17 De 44
Hour **B** (N) 25 Fa 48
Hourt **B** (LU) 26 Ff 47
Housse **B** (LIE) 20 Fe 44
Houssonloge **B** (LIE) 26 Fe 46
Hout **NL** (L) 20 Ga 41
Hout, De **NL** (N-H) 7 Fb 32
Hout, Den **NL** (N-B) 11 Ef 39
Houtaing **B** (H) 17 De 45
Houtain-le-Val **B** (BR) 24 Ec 45
Houtain-Saint-Siméon **B** (LIE) 19 Fd 44
Houtakker, Biest- **NL** (N-B) 12 Fb 39
Houtave **B** (W-V) 16 Da 41
Hout-Blerick **NL** (L) 13 Ga 40
Houtem **B** (BR) 18 Ec 43
Houtem, Sint-Margriete- **B** (BR) 19 Ef 44
Houtem, Sint-Katelijne- **B** (BR) 19 Ef 44
Houtem **B** (W-V) 16 Cd 42
Houten **NL** (U) 11 Fb 36
Houthalen-Helchteren **B** (LIM) 19 Fc 42
Houthem **B** (H) 16 Cf 44
Houthem **NL** (L) 20 Fe 43
Houthuizen **NL** (L) 13 Ga 40
Houthulst **B** (W-V) 16 Cf 43
Houtigehage **NL** (FR) 4 Ga 30
Houtvenne **B** (A) 18 Ee 42
Houwaart **B** (BR) 18 Ef 43
Houwerzijl **NL** (GRO) 4 Gc 28
Houyet **B** (N) 25 Fa 47
Hove **B** (A) 18 Ec 42
Hoven, De **NL** (O) 8 Ga 35
Hoves **B** (H) 17 Ea 44
Howardries **B** (H) 23 Dc 45
Hozémont, Horion- **B** (LIE) 19 Fc 45
Hubermont **B** (H) 23 Ea 45
Huccorgne **B** (LIE) 25 Fb 45
Huijbergen **NL** (N-B) 11 Ec 40
Huins **NL** (FR) 3 Fd 30
Huisduinen **NL** (N-H) 2 Ee 31
Huise **B** (O-V) 17 Dd 43
Huisseling **NL** (N-B) 12 Fd 38
Huissen **NL** (GLD) 12 Ff 37
Huissignies **B** (H) 23 De 45
Huis ter Heide **NL** (U) 7 Fb 36
Huiswaard **NL** (N-H) 6 Ee 33
Huivelde **B** (O-V) 17 Ea 42
Huizen **NL** (N-H) 7 Fb 35
Huize Padua **NL** (N-B) 12 Fe 39
Huizinge **NL** (GRO) 5 Ge 28
Huizingen **B** (BR) 18 Eb 44
Huldange **L** (D) 26 Ga 47
Huldenberg **B** (BR) 18 Ed 44
Hüllscheid **B** (LIE) 26 Gc 46
Hulpe, La - **B** (BR) 18 Ec 44
Hulsberg **NL** (L) 20 Ff 43
Hulsel **NL** (N-B) 12 Fb 40
Hulsen **NL** (O) 8 Gd 34
Hulshorst **NL** (GLD) 7 Fe 34
Hulshout **B** (A) 18 Ee 42
Hulsonniaux **B** (N) 25 Ef 47
Hulst **B** (LIM) 19 Fa 42
Hulst **NL** (Z) 17 Ea 41
Hulste **B** (W-V) 16 Db 43
Hulten **NL** (N-B) 11 Ef 39
Hulzen **B** (LIM) 19 Fb 43
Humain **B** (LU) 25 Fc 47
Humbeek **B** (BR) 18 Ec 43
Humelgem **B** (BR) 18 Ed 43
Hummelo **NL** (GLD) 13 Gb 36
Hummelo en Keppel **NL** (GLD) 13 Gb 36
Huncherange **L** (LUX) 32 Ga 51
Hundelgem **B** (O-V) 17 De 43
Hünningen **B** (LIE) 26 Ga 47
Hünningen **B** (LIE) 26 Gb 46
Hünsdorf **L** (LUX) 32 Ga 50
Hunsel **NL** (L) 20 Fe 41
Huppaye **B** (BR) 19 Ef 44
Huppel **NL** (GLD) 9 Ge 36
Hupperdange **L** (D) 26 Ga 48
Hurdegaryp **NL** (FR) 4 Ff 29
Hurwenen **NL** (GLD) 12 Fb 38
Hushoven **NL** (L) 19 Fe 41
Huttange **L** (D) 31 Ff 50
Huy **B** (LIE) 25 Fb 45
Hymlée **B** (H) 24 Ed 47

I

Ichtegem **B** (W-V) 16 Da 42
Idaard = Idaerd **NL** (FR) 3 Fe 30
Idaerd **NL** (FR) 3 Fe 30
Iddergem **B** (O-V) 17 Ea 43
Idegem **B** (O-V) 17 Df 44
Idsegahuizum **NL** (FR) 3 Fc 30
Idskenhuizen **NL** (FR) 3 Fe 31
Idzard, Ter **NL** (FR) 4 Ga 31
Idzega **NL** (FR) 3 Fd 31
Ieper **B** (W-V) 16 Cf 43
IJhorst **NL** (O) 8 Gb 32
IJlst **NL** (FR) 3 Fd 30
IJmuiden **NL** (N-H) 6 Ed 34
IJsselham **NL** (O) 8 Ff 32
IJsselmonde **NL** (Z-H) 11 Ed 37
IJsselmuiden **NL** (O) 8 Ff 33
IJsselstein **NL** (U) 11 Fa 36
IJzendijke **NL** (Z) 17 Dd 41
IJzendoorn **NL** (GLD) 12 Fd 37
IJzer **B** (BR) 18 Ed 44
IJzeren **NL** (L) 20 Ff 43
IJzevoorde **NL** (GLD) 13 Gc 37
Illikhoven **NL** (L) 20 Fe 42
Ilp, Den **NL** (N-H) 6 Ef 34
Ilpendam **NL** (N-H) 7 Ef 34
Imbringen **L** (GRE) 32 Gb 50
Impe **B** (O-V) 17 Df 43
Impegem **B** (BR) 18 Ea 43
Incourt **B** (BR) 18 Ee 44
Indoornik **NL** (GLD) 12 Fe 37
Ingeldorf **L** (D) 32 Ga 49
Ingelmunster **B** (W-V) 16 Db 43
Ingen **NL** (GLD) 12 Fc 37
Ingooigem **B** (W-V) 17 Dc 44
Insenborn **L** (D) 31 Ff 49
Ipsvoorde **B** (BR) 18 Ec 43
Irchonwelz **B** (H) 23 De 45
Irnsum = Jirnsum **NL** (FR) 3 Fe 30
Isières **B** (H) 17 De 45
Itegem **B** (A) 18 Ee 42
It Heechsân **NL** (FR) 4 Ga 29
Itterbeek **B** (BR) 18 Eb 43
Itteren **NL** (L) 20 Fe 43
Ittersum **NL** (O) 8 Ga 34
Ittervoort **NL** (L) 20 Ff 41
Ittre **B** (BR) 18 Eb 45
Itzig **L** (LUX) 32 Gb 51
Iveldingen **B** (LIE) 26 Ga 46
Ivoz **B** (LIE) 25 Fd 45
Ixelles = Elsene **B** (BR) 18 Ec 44
Izegem **B** (W-V) 16 Db 43
Izel **B** (LU) 31 Fc 50
Izenberge **B** (W-V) 16 Cd 43
Izier **B** (LU) 25 Fd 46

J

Jaarsveld **NL** (U) 11 Ef 37
Jabbeke **B** (W-V) 16 Da 41
Jabeek **NL** (L) 20 Ff 43
Jalhay **B** (LIE) 26 Ff 45
Jallet **B** (N) 25 Fb 46
Jamagne **B** (N) 24 Ed 47
Jambes **B** (N) 24 Ef 46
Jamblinne **B** (N) 25 Fa 47
Jamiolle **B** (N) 24 Ed 47
Jamioulx **B** (H) 24 Ec 46
Jamoigne **B** (LU) 31 Fc 50
Jandrain-Jandrenouille **B** (BR) 19 Fa 44
Jandrenouille, Jandrain- **B** (BR) 19 Fa 45
Jauche **B** (BR) 19 Ef 44
Jauche **B** (LIE) 19 Ef 44
Jauche, Orp- **B** (LIE) 19 Ef 44
Jauchelette **B** (BR) 18 Ef 44
Javinque **B** (N) 25 Ef 48
Jehanster **B** (LIE) 26 Ff 45
Jehay **B** (LIE) 25 Fc 45
Jehonville **B** (LU) 31 Fb 49
Jellum **NL** (FR) 3 Fe 29
Jelsum **NL** (FR) 3 Fe 29
Jemappes **B** (H) 23 Df 46
Jemelle **B** (N) 25 Fb 47
Jemeppe **B** (LIE) 19 Fd 45
Jemeppe-sur-Sambre **B** (N) 24 Ed 46
Jeneffe **B** (LIE) 19 Fc 45
Jeneffe **B** (N) 25 Fb 46
Jenneret **B** (LU) 25 Fc 46
Jenneville **B** (LU) 25 Fc 49
Jesseren **B** (LIM) 19 Fc 44
Jette **B** (BR) 18 Ec 43
Jeuk **B** (LIM) 19 Fb 44
Jevigne **B** (LIE) 26 Fe 47
Jevoumont **B** (LIE) 26 Fe 45
Jezus-Eik **B** (BR) 18 Ed 44
Jipsingboermussel **NL** (GRO) 5 Ha 31
Jipsingboertange **NL** (GRO) 5 Ha 31
Jipsinghuizen **NL** (GRO) 5 Hb 31
Jirnsum **NL** (FR) 3 Fe 30
Jislum **NL** (FR) 4 Ff 29
Jisp **NL** (N-H) 6 Ef 33
Jistrum **NL** (FR) 4 Ga 29
Jodenville **B** (LU) 31 Fd 49
Jodoigne **B** (BR) 19 Ef 44
Jodoigne-Souveraine **B** (BR) 18 Ef 44
Jollain-Merlin **B** (H) 23 Dc 45
Joncret **B** (H) 24 Ed 46
Jonkershoven **B** (W-V) 16 Cf 43
Jonkersvaart **NL** (GRO) 4 Gb 30
Joppe **NL** (GLD) 8 Gb 35
Jorwerd **NL** (FR) 4 Fe 30
Joure **NL** (FR) 3 Fe 31
Journal **B** (LU) 25 Fd 48
Jubbega **NL** (FR) 4 Ga 31
Jubbegaastercompagnie **NL** (FR) 4 Ga 31
Jubbega Derde Sluis **NL** (FR) 4 Ga 30
Julémont **B** (LIE) 20 Fe 44
Julianadorp **NL** (N-H) 2 Ee 31
Jumet **B** (H) 24 Ec 46
Junglinster **L** (GRE) 32 Gb 50
Junne **NL** (O) 8 Gd 33
Jupille **B** (LU) 25 Fd 47
Jupille-sur-Meuse **B** (LIE) 19 Fd 45
Juprelle **B** (LIE) 19 Fd 44
Jurbise **B** (H) 23 Df 45
Juseret **B** (LU) 31 Fd 49
Juslenville **B** (LIE) 26 Fe 45
Jutphaas **NL** (U) 11 Fa 36
Jutrijp **NL** (FR) 3 Fd 31
Juzaine **B** (LU) 25 Fd 46

K

Kaag **NL** (Z-H) 6 Ed 35
Kaaienberg **B** (LIM) 19 Fb 42
Kaalheide **NL** (L) 20 Ga 43
Kaaskerke **B** (W-V) 16 Cf 42
Kaatsheuvel **NL** (N-B) 11 Fa 39
Kabel **NL** (N-H) 6 Ee 35
Kadijk **NL** (Z-H) 11 Ee 37
Kaggevinne **B** (BR) 19 Fa 43
Kahler **L** (LUX) 31 Ff 51
Kain **B** (H) 17 Dc 45
Kakert **NL** (L) 20 Ga 43
Kalberg **B** (W-V) 17 Dc 43

40 (B) (NL) (L) **Herpt – Kalberg**

Kalborn **B** (D) 26 Ga 48
Kalenberg **NL** (O) 4 Ff 32
Kalfort **B** (A) 18 Eb 42
Kalken **B** (O-V) 17 Df 42
Kalkesbach **L** (GRE) 32 Gc 50
Kallenkote **NL** (O) 4 Gb 32
Kallo **B** (O-V) 18 Eb 41
Kalmthout **B** (A) 11 Ec 40
Kalmthoutse **B** (A) 11 Ec 40
Kalverdijk **NL** (N-H) 6 Ee 32
Kamerik **NL** (U) 6 Ef 36
Kamershoek **B** (O-V) 18 Ea 42
Kampen **NL** (O) 8 Ff 33
Kampenhout **B** (BR) 18 Ed 43
Kamperland **NL** (Z) 10 De 39
Kamperveen **NL** (O) 8 Ff 33
Kamperzeedijk-Oost **NL** (O) 8 Ga 33
Kamperzeedijk-West **NL** (O) 8 Ff 33
Kandelaar **NL** (Z-H) 11 Ec 37
Kanegem **B** (W-V) 17 Dc 43
Kanis **NL** (U) 11 Ef 36
Kanne **B** (LIM) 19 Fe 44
Kantens **NL** (GRO) 4 Gd 28
Kapel-Avezaath **NL** (GLD) 12 Fc 37
Kapelle, Rollegem- **B** (W-V) 16 Da 43
Kapelle **NL** (Z) 10 Df 40
Kapellebrug **NL** (Z) 17 Ea 41
Kapellen **B** (A) 18 Ec 41
Kapellen **B** (BR) 19 Ef 43
Kapellenbos **B** (A) 18 Ec 40
Kapelle-op-den-Bos **B** (BR) 18 Ec 42
Kaprijke **B** (O-V) 17 Dd 41
Kaste **B** (O-V) 18 Eb 42
Kaster **B** (W-V) 17 Dd 44
Kasterlee **B** (A) 19 Ef 41
Kat, De - **B** (O-V) 17 Df 42
Kat, De - **B** (W-V) 16 Db 43
Katchem **B** (W-V) 16 Db 43
Katlijk **NL** (FR) 4 Ga 31
Kats **NL** (Z) 10 Df 39
Kattem **B** (BR) 18 Ea 43
Kattenbos **B** (LIM) 19 Fc 41
Kattendijke **NL** (Z) 10 Df 40
Katwijk **NL** (N-B) 12 Ff 38
Katwijk **NL** (Z-H) 6 Ec 35
Katwijk aan Zee **NL** (Z-H) 6 Ec 35
Katwoude **NL** (N-H) 7 Fa 34
Kaulille **B** (LIM) 19 Fd 41
Kaundorf **L** (D) 31 Ff 49
Kautenbach **L** (D) 26 Ga 49
Kayl **L** (LUX) 32 Ga 52
Kedichem **NL** (Z-H) 11 Fa 37
Keent **NL** (L) 20 Fe 41
Keerbergen **B** (A) 18 Ed 42
Kehlen **L** (LUX) 32 Ga 50
Kehmen **L** (D) 26 Ga 49
Keiberg **B** (H) 17 Dc 44
Keiberg **B** (W-V) 16 Da 43
Keiem **B** (W-V) 16 Cf 42
Keijenborg **NL** (GLD) 8 Gb 36
Keirsmaker **B** (O-V) 17 Df 42
Keispelt **L** (LUX) 32 Ga 50
Keiwelbach **L** (D) 32 Gb 49
Keizersdijk **NL** (Z-H) 11 Ed 38
Keizersveer **NL** (N-B) 11 Ef 38
Kekerdom **NL** (GLD) 13 Ga 37
Keldonk **NL** (N-B) 12 Fd 39
Kelmis = La Calamine **B** (LIE) 20 Ga 44
Kelpen **NL** (L) 20 Ff 41
Kemexhe **B** (LIE) 19 Fc 44
Kemmel **B** (W-V) 16 Ce 44
Kempenseheide **B** (LIM) 19 Fc 43
Kemzeke **B** (O-V) 17 Ea 41
Keppel, Hummelo en **NL** (GLD) 13 Gb 36
Keppeshausen **L** (D) 26 Gb 49
Kere **B** (O-V) 17 Dd 42
Kerensheide **NL** (L) 20 Fe 43
Kerk-Avezaath **NL** (GLD) 12 Fc 37
Kerkbrugge **B** (O-V) 17 De 42
Kerkbuurt **NL** (N-H) 7 Fa 34
Kerkbuurt **NL** (N-H) 7 Fb 32
Kerkdriel **NL** (GLD) 12 Fc 38
Kerkem **B** (O-V) 17 Dd 44
Kerkem, Maarke- **B** (O-V) 17 De 44
Kerkenveld **NL** (DR) 8 Gd 32
Kerkepanne **B** (W-V) 16 Cd 42
Kerkhove **B** (W-V) 17 Dd 44
Kerkhoven **B** (A) 19 Fb 42
Kerkom **B** (BR) 19 Ef 43
Kerkrade **NL** (L) 20 Ga 43
Kerksen **B** (O-V) 18 Ea 43
Kerkstraat **B** (O-V) 17 Df 42
Kerkwerve **NL** (Z) 10 Df 38
Kerkwijk **NL** (GLD) 12 Fb 38
Kermt **B** (LIM) 19 Fb 43
Kerniel **B** (LIM) 19 Fc 44
Kersbeek **B** (BR) 19 Fa 43
Kessel **B** (A) 18 Ed 42
Kessel, Beneden- **B** (BR) 18 Ee 43
Kessel **NL** (L) 20 Ga 41
Kessel **NL** (N-B) 12 Fc 38
Kessel, Maren- **NL** (N-B) 12 Fc 38
Kesseleik **NL** (L) 20 Ga 41
Kessel-Lo **B** (BR) 18 Ee 43
Kesselt **B** (LIM) 19 Fe 43
Kessenich **B** (LIM) 20 Ff 42
Kester **B** (BR) 18 Ea 44
Kesteren **NL** (GLD) 12 Fd 37
Kestergat **B** (BR) 18 Ea 44
Ketelhaven **NL** (N-H) 7 Fe 33
Kethel **NL** (Z-H) 11 Ec 37
Kettenis **B** (LIE) 20 Ga 45
Keuningswijk **NL** (GRO) 4 Gb 30
Kezelberg **B** (W-V) 16 Da 43
Kiel, De **NL** (DR) 5 Ge 31
Kieldrecht **B** (O-V) 18 Eb 41
Kiel-Windeweer **NL** (GRO) 5 Ge 30
Kijkduin **NL** (Z-H) 6 Eb 36
Kilder **NL** (GLD) 13 Gb 37
Kille **NL** (N-B) 11 Ef 38
Kimswerd **NL** (FR) 3 Fc 30
Kinderdijk **NL** (Z-H) 11 Ed 37
Kinrooi **B** (LIM) 20 Fe 42
Kippe **B** (W-V) 16 Cf 43
Klaaswaal **NL** (Z-H) 11 Ec 38
Klaphulle **B** (W-V) 17 Dc 42
Klarenbeek **NL** (GLD) 8 Ga 35
Klatering **NL** (DR) 4 Gd 31
Klazienaveen **NL** (DR) 5 Ha 32
Kleinbettingen **L** (LUX) 31 Ff 51
Klein Dochteren **NL** (GLD) 8 Gc 36
Klein-Dongen **NL** (N-B) 11 Ef 39
Kleine Brogel **B** (LIM) 19 Fc 41
Kleine Heide **B** (A) 18 Ec 42
Kleine-Lindt **NL** (Z-H) 11 Ed 38
Kleine Sluis **NL** (N-H) 2 Ee 31
Kleine-Spouwen **B** (LIM) 19 Fd 43
Klein Gent **B** (O-V) 17 Df 42
Klein Hitland **NL** (Z-H) 11 Ed 37
Klein-Langerlo **B** (LIM) 19 Fd 43
Klein Mariekerke **NL** (Z) 10 Dd 39
Klein Oirlo **NL** (L) 13 Ga 39
Klein-Rees **B** (A) 19 Ef 41
Klein Sinaai **B** (O-V) 17 Df 41
Klein-Ulsda **NL** (GRO) 5 Hb 30
Kleit **B** (O-V) 17 Dc 41
Klemskerke **B** (W-V) 16 Da 41
Klerken **B** (W-V) 16 Cf 42
Kleverskerke **NL** (Z) 10 De 39
Klijndijk **NL** (DR) 5 Gf 31
Klijpe, De - **B** (O-V) 17 Dd 44
Klijte, De - **B** (W-V) 16 Ce 44
Klimmen **NL** (L) 20 Ff 43
Klinge, De - **B** (O-V) 17 Ea 41
Klinkenberg **NL** (GLD) 12 Fd 37
Kloetinge **NL** (Z) 10 Df 40
Klomp, De **NL** (GLD) 7 Fd 36
Kloosterburen **NL** (GRO) 4 Gc 28
Kloosterdijk **NL** (O) 8 Gd 33
Kloosterhaar **NL** (O) 9 Ge 33
Kloosterhoek **B** (W-V) 17 Dc 44
Kloosterveen **NL** (DR) 4 Gd 30
Kloosterzande **NL** (Z) 10 Ea 40
Kluis **NL** (GLD) 12 Ff 38
Kluizen **B** (O-V) 17 De 42
Klundert **NL** (N-B) 11 Ed 39
Klutsdorp **NL** (N-B) 10 Eb 39
Knaphoscheid **L** (D) 26 Ff 48
Knegsel **NL** (N-B) 12 Fc 40
Knesselare **B** (O-V) 17 Dc 42
Knijpe, De **NL** (FR) 4 Ff 31
Knokke **B** (H) 17 Dc 44
Knokke-Brug **B** (W-V) 16 Ce 43
Knokke-Heist **B** (W-V) 17 Db 40
Knol, De **NL** (Z) 17 De 41
Kobbegem **B** (BR) 18 Eb 43
Kockengen **NL** (U) 7 Ef 36
Koedijk **NL** (N-H) 6 Ee 32
Koehool **NL** (FR) 3 Fd 29
Koekange **NL** (DR) 8 Gb 32
Koekelare **B** (W-V) 16 Cf 42
Koekelberg **B** (BR) 18 Ec 43
Koekuit **B** (W-V) 16 Cf 43
Koekuithoek **B** (W-V) 16 Da 43
Koerich **L** (LUX) 31 Ff 50
Koersel **B** (LIM) 19 Fb 42
Koestraat **B** (LIM) 19 Fd 42
Koetschette **L** (D) 31 Ff 49
Koewacht **NL** (Z) 17 Df 41
Koksijde **B** (W-V) 16 Cd 42
Koksijde-Bad **B** (W-V) 16 Cd 42
Kolderveen **NL** (DR) 8 Ga 32
Kolderveense Bovenboer **NL** (DR) 8 Ga 32
Kolham **NL** (GRO) 5 Ge 29
Kolhorn **NL** (N-H) 6 Ef 32
Kollum **NL** (FR) 4 Ga 29
Kollumerland en Nieuw-Kruisland **NL** (FR) 4 Ga 29
Kollumerpomp **NL** (FR) 4 Gb 30
Kollumerzwaag **NL** (FR) 4 Ga 29
Koloniën, De - **B** (LIM) 19 Fc 41
Komen-Waasten = Comines-Warneton **B** (H) 16 Cf 44
Kommerdijk **NL** (GLD) 12 Ff 37
Kommerzijl **NL** (GRO) 4 Gb 29
Koningsbosch **NL** (L) 20 Ff 42
Koningshooikt **B** (A) 18 Ed 42
Koningslust **NL** (L) 13 Ga 40
Koninksem **B** (LIM) 19 Fc 44
Kontich **B** (A) 18 Ec 42
Koog, De **NL** (N-H) 2 Ee 30
Koog aan de Zaan **NL** (N-H) 6 Ef 34
Kooigem **B** (W-V) 17 Db 44
Koolkerke **B** (W-V) 16 Db 41
Koolskamp **B** (W-V) 16 Db 42
Kootstertille **NL** (FR) 4 Ga 29
Kootwijk **NL** (GLD) 8 Fe 35
Kootwijkerbroek **NL** (GLD) 7 Fe 36
Kooy, De **NL** (N-H) 2 Ee 31
Kopstal **L** (LUX) 32 Ga 50
Kopstukken **NL** (GRO) 5 Ha 31
Kop van 't Land **NL** (Z-H) 11 Ee 38
Korbeek-Dijle **B** (BR) 18 Ed 43
Korbeek-Lo **B** (BR) 18 Ee 43
Korendijk **NL** (Z-H) 10 Eb 38
Korn **NL** (N-B) 11 Ef 38
Kornhorn **NL** (GRO) 4 Gb 29
Kornwerderzand **NL** (FR) 3 Fc 30
Korspel **B** (LIM) 19 Fb 42
Kortehemmen **NL** (FR) 4 Ga 30
Kortekeer **B** (W-V) 16 Cf 43
Kortekeer **B** (W-V) 16 Db 42
Kortemark **B** (W-V) 16 Da 42
Kortenaken **B** (BR) 19 Fa 43
Kortenberg **B** (BR) 18 Ed 43
Kortenbos **B** (LIM) 19 Fb 43
Kortenhoef **NL** (N-H) 7 Fa 35
Kortepijp **B** (W-V) 16 Ce 44
Kortessem **B** (LIM) 19 Fc 43
Korteven **NL** (N-B) 11 Ec 40
Kortewelvaart **B** (A) 18 Ee 42
Kortewilde **B** (W-V) 16 Cf 42
Kortezwaag **NL** (FR) 4 Ga 31
Kortgene **NL** (Z) 10 De 39
Kortijs **B** (LIM) 19 Fb 44
Kortrijk **B** (W-V) 17 Db 44
Kortrijk-Dutsel **B** (BR) 18 Ee 43
Kostvlies **NL** (DR) 5 Ge 31
Kotem **B** (L) 20 Fe 43
Kottem **B** (LIM) 20 Fe 43
Kotten **NL** (GLD) 13 Ge 37
Koudekerk aan de Rijn **NL** (Z-H) 6 Ed 36
Koudekerke **NL** (Z) 10 Dd 40
Koudertaveerne **B** (BR) 18 Eb 43
Koudum **NL** (FR) 3 Fc 31
Kozen **B** (LIM) 19 Fb 43
Kraainem **B** (BR) 18 Ec 43
Krabbendam **NL** (N-H) 6 Ee 32
Krabbendijke **NL** (Z) 10 Ea 40
Krachtighuizen **NL** (GLD) 7 Fd 35
Kraggenburg **NL** (O) 8 Ff 32
Krakeel **NL** (DR) 8 Gd 32
Kreek **NL** (N-B) 11 Ed 39
Kreijl **NL** (N-B) 12 Fd 40
Kreileroord **NL** (N-H) 3 Fa 31
Kreupel **B** (W-V) 16 Db 44
Krewerd **NL** (GRO) 5 Gf 28
Krewinkel **B** (LIE) 26 Gc 46
Kriekhoek **B** (W-V) 17 Db 43
Krijt **B** (LIM) 19 Fc 43
Krim, De **NL** (O) 9 Gd 33
Krimpen aan de IJssel **NL** (Z-H) 11 Ed 37
Krimpen aan de Lek **NL** (Z-H) 11 Ed 37
Krombeke **B** (W-V) 16 Ce 43
Kromme-Elleboog **NL** (GRO) 5 Ha 29
Kromme Mijdrecht **NL** (U) 6 Ef 35
Krommenie **NL** (N-H) 6 Ee 33
Krommeniedijk **NL** (N-H) 6 Ee 33
Kronenberg **NL** (L) 13 Ga 40
Kropswolde **NL** (GRO) 5 Ge 30
Kruibeke **B** (O-V) 18 Eb 41
Kruiningen **NL** (Z) 10 Ea 40
Kruiningergors **NL** (Z-H) 10 Ea 37
Kruis **NL** (N-B) 12 Fd 40
Kruis, 't **NL** (N-H) 6 Ef 33
Kruisabele **B** (W-V) 16 Ce 42
Kruisbergen **B** (O-V) 17 Dd 44
Kruisdorp **NL** (Z) 10 Ea 40
Kruiseke **B** (W-V) 16 Da 44
Kruishoek **B** (W-V) 16 Cf 42
Kruishoutem **B** (O-V) 17 Dd 43
Kruiskamp, De **NL** (N-B) 12 Fb 38
Kruisland **NL** (N-B) 11 Ec 39
Kruisstraat **B** (LIM) 19 Fb 43
Kruisstraat **B** (O-V) 17 Dd 42
Kruisstraat **B** (O-V) 17 Df 41
Kruisstraat **B** (W-V) 16 Da 42
Kruisstraat **NL** (N-B) 11 Ed 39
Kruisstraat **NL** (N-B) 12 Fc 38
Kruistraathoek **B** (W-V) 16 Cf 44
Kruisweg **B** (O-V) 17 Dd 42
Kruisweg **B** (W-V) 17 Dc 43
Kruisweg **NL** (GRO) 4 Gc 28
Kruisweg **NL** (Z-H) 11 Ed 36
Kubaard **NL** (FR) 3 Fd 30
Kuborn **L** (D) 31 Ff 49
Kudelstaart **NL** (N-H) 6 Ee 35
Kuinre **NL** (O) 4 Ff 32
Kuitaart **NL** (Z) 17 Ea 40
Kuivezand **NL** (N-B) 11 Ed 39
Kumtich **B** (BR) 19 Ef 44
Kuringen **B** (LIM) 19 Fb 43
Kuurne **B** (W-V) 16 Db 43
Kuzemerbalk **NL** (GRO) 4 Gb 29
Kwaadmechelen **B** (LIM) 19 Fa 42
Kwadendamme **NL** (Z) 10 Df 40
Kwadeplas **B** (A) 18 Ee 42
Kwadijk **NL** (N-H) 7 Ef 33
Kwakel, De **NL** (N-H) 6 Ee 35
Kwakenbeek **B** (BR) 18 Ea 44
Kwaremont **B** (O-V) 17 Dd 44
Kwatrecht **B** (O-V) 17 Df 43
Kwerps, Erps- **B** (BR) 18 Ed 43
Kwintsheul **NL** (Z-H) 10 Eb 36

L

Laag-Keppel **NL** (GLD) 13 Gb 36
Laag-Soeren **NL** (GLD) 8 Ga 36
Laag Zuthem **NL** (O) 8 Gb 34
Laak **NL** (L) 20 Ff 42
Laak, Ohé en **NL** (L) 20 Ff 42
Laakdal **B** () 19 Ef 42
Laar **B** (A) 18 Ee 42
Laar **B** (BR) 18 Ec 43
Laar **B** (BR) 19 Fa 44
Laar **NL** (L) 19 Fe 41
Laarne **B** (O-V) 17 Df 42
Laaxum **NL** (FR) 3 Fc 31
Labliau **B** (H) 18 Ea 44
Labuissière **B** (H) 24 Eb 47
Lacuisine **B** (LU) 31 Fb 50
Ladeuze **B** (H) 23 De 45
Laforêt **B** (N) 30 Ef 49
Lageland **NL** (GRO) 5 Ge 29
Lage Land, Het **NL** (Z-H) 11 Ed 37
Lage Mierde **NL** (N-B) 11 Fb 40
Lage Mierde, Hooge en **NL** (N-B) 12 Fa 40
Lage van de Weg, 't **NL** (GRO) 5 Ge 28
Lage-Vuursche **NL** (U) 7 Fb 35
Lage Zandschel **NL** (N-B) 11 Fa 38
Lage Zwaluwe **NL** (N-B) 11 Ee 38
Lage Zwaluwe, Hooge en **NL** (N-B) 11 Ee 38
Lahage **B** (LU) 31 Fc 51
Lahamaide **B** (H) 17 De 44
Laiche **B** (LU) 31 Fb 50
Lakerveld **NL** (Z-H) 11 Fa 37
Laloux **B** (N) 25 Fa 47
Lamadelaine **L** (LUX) 31 Ff 51
Lamain **B** (H) 23 Db 45
Lambercies **B** (H) 24 Eb 48
Lambermont **B** (LIE) 26 Ff 45
Lambertschaag **NL** (N-H) 7 Fa 32
Lambusart **B** (H) 24 Ed 46
Lambusart **B** (H) 24 Ed 46
Lamontzée **B** (LIE) 25 Fa 45
Lamormenil **B** (LU) 25 Fd 47
Lamorteau **B** (LU) 31 Fc 51
Lampernisse **B** (W-V) 16 Ce 42
Lamswaarde **NL** (Z) 17 Ea 40
Lanaken **B** (LIM) 19 Fd 43
Lanaye **B** (LIE) 20 Fe 44
Lanceaumont **B** (LIE) 20 Ff 44
Landegem **B** (O-V) 17 Dd 42
Landelies **B** (H) 24 Ec 46
Landen **B** (BR) 19 Fa 44
Landenne **B** (N) 25 Fa 45
Landerum **NL** (FR) 3 Fb 28
Landgraaf **NL** (L) 20 Ga 43
Landhorst **NL** (N-B) 12 Fe 39
Landscheid **L** (D) 26 Ga 49
Landskouter **B** (O-V) 17 De 43
Landsmeer **NL** (N-H) 6 Ef 34
Landuit **B** (O-V) 17 De 43
Laneffe **B** (N) 24 Ec 47
Langbroek **NL** (U) 12 Fc 36
Langdorp **B** (BR) 19 Ef 43
Langedijk **NL** (N-H) 6 Ee 32
Langedijke **NL** (FR) 4 Gb 31
Langelille **NL** (FR) 4 Ff 31
Langelo **NL** (DR) 4 Gc 30
Langemark-Poelkapelle **B** (W-V) 16 Cf 43
Langemunte **B** (O-V) 17 De 43
Langenboom **NL** (N-B) 12 Fe 38
Langenholte **NL** (O) 8 Ga 33
Langeraar **NL** (Z-H) 6 Ee 35
Langerak **NL** (GLD) 13 Gb 37
Langerak **NL** (Z-H) 11 Ef 37
Langereis **NL** (N-H) 6 Ef 32
Langestraat **B** (BR) 18 Ea 43
Langestraat **B** (BR) 18 Ed 43
Langeveen **NL** (O) 9 Ge 34
Langeweegje **NL** (Z) 10 Df 40
Langeweg **NL** (N-B) 11 Ee 39
Langezwaag **NL** (FR) 4 Ff 31
Langlir **B** (LU) 26 Ff 47
Langstraat **NL** (Z-H) 10 Eb 38
Langweer **NL** (FR) 3 Fe 31
Lankhorst **NL** (O) 8 Gb 32
Lanklaar **B** (LIM) 20 Fe 42
Lanquesaint **B** (H) 23 De 45
Lantin **B** (LIE) 19 Fd 44
Lanzerath **B** (LIE) 26 Gc 46
Laplaigne **B** (H) 23 Dc 45
Lapscheure **B** (W-V) 17 Dc 41
Laren **NL** (GLD) 8 Gc 35
Laren **NL** (N-H) 7 Fb 35
Larendries **B** (A) 18 Eb 42
Larochette **L** (LUX) 32 Gb 50
Larum **B** (A) 19 Ef 41
Lascheid **B** (LIE) 26 Ga 47
Lasne **B** (BR) 18 Ed 44
Latem, Sint-Martens- **B** (O-V) 17 Dd 42
Latem, Sint-Maria- **B** (O-V) 17 De 43
Lathum **NL** (GLD) 13 Ga 37
Lathuy **B** (BR) 18 Ef 44
Latinne **B** (LIE) 19 Fb 45
Latour **B** (LU) 31 Fd 51
Lattrop **NL** (O) 9 Gf 34
Laude **NL** (GRO) 5 Ha 31
Launoy **B** (LU) 30 Fa 49
Lauw **B** (LIM) 19 Fc 44
Lauwe **B** (W-V) 16 Db 44
Lauwersoog **NL** (GRO) 4 Gb 28
Lauwerzijl **NL** (GRO) 4 Gb 29
Lava **B** (LIE) 19 Fe 44
Lavacherie **B** (LU) 25 Fd 48
Laval **B** (LU) 25 Fd 48
Lavaux **B** (LIE) 26 Fe 47
Lavaux **B** (LIE) 26 Ff 46
Lavaux, Hastière- **B** (N) 24 Ee 47
Lavaux-Sainte-Anne **B** (N) 25 Fa 48
Lavoir **B** (LIE) 25 Fa 45
Lavys **B** (N) 25 Fa 47
Lebbeke **B** (O-V) 18 Ea 42
Lebeke **B** (O-V) 17 Df 43
Lede, Wannegem- **B** (O-V) 17 Dd 43
Lede **B** (O-V) 17 Dd 43
Lede **B** (O-V) 17 Df 43
Ledeacker **NL** (N-B) 12 Ff 39
Ledegem **B** (W-V) 16 Da 43
Leefdaal **B** (BR) 18 Ed 43
Leegwormen **B** (O-V) 17 De 43
Leek **NL** (GRO) 4 Gc 29
Leemputten **B** (A) 18 Ee 42
Leende **NL** (N-B) 12 Fd 40
Leenderstrijp **NL** (N-B) 12 Fd 40
Leens **NL** (GRO) 4 Gc 28
Leerbeek **B** (BR) 18 Ea 44
Leerbroek **NL** (Z-H) 11 Fa 37
Leerdam **NL** (Z-H) 11 Fa 37
Leermens **NL** (GRO) 5 Ge 28
Leerne, Bachte-Maria- **B** (O-V) 17 Dd 42
Leerne, Sint-Martens- **B** (O-V) 17 Dd 42
Leernes **B** (H) 24 Ec 46
Leers-et-Fosteau **B** (H) 24 Eb 47
Leers-Nord **B** (H) 17 Db 44
Leersum **NL** (U) 12 Fc 36
Leest **B** (A) 18 Ec 42
Leesten **NL** (GLD) 8 Gb 36
Leeuw, Sint-Pieters- **B** (BR) 18 Eb 44
Leeuwarden **NL** (FR) 3 Fe 29
Leeuwarderadeel **NL** (FR) 3 Fe 29
Leeuwen **NL** (L) 20 Ga 41
Leeuwen **NL** (L) 20 Ga 41
Leeuwen, Beneden- **NL** (GLD) 12 Fd 37
Leeuwergem **B** (O-V) 17 Df 43
Leeuwken **B** (W-V) 17 Dc 43
Leeuwte **NL** (DR) 8 Gc 32
Leeuwte **NL** (O) 8 Ff 32
Leffinge **B** (W-V) 16 Cf 41
Legert **NL** (L) 13 Ga 39
Léglise **B** (LU) 31 Fd 50
Leiden **NL** (Z-H) 6 Ed 36
Leiderdorp **NL** (Z-H) 6 Ed 36
Leidschendam **NL** (Z-H) 6 Ec 36
Leignon **B** (N) 25 Fa 47
Leihoek **B** (O-V) 17 Dd 43
Leimuiden **NL** (Z-H) 6 Ee 35
Leisele **B** (W-V) 16 Cd 43
Leithum **L** (D) 26 Ga 47
Leke **B** (W-V) 16 Cf 42

Kalborn – Leke (B) (NL) (L) 41

Lekkerkerk **NL** (Z-H) 11 Ee 37
Lekkum **NL** (FR) 3 Fe 29
Lellig **L** (GRE) 32 Gc 50
Lellingen **L** (D) 26 Ga 49
Lelystad **NL** (F) 7 Fc 33
Lelystad Haven **NL** (F) 7 Fc 33
Lembeek **B** (BR) 18 Eb 44
Lembeke **B** (O-V) 17 Dd 41
Lemberge **B** (W-V) 17 De 43
Lemele **NL** (O) 8 Gc 34
Lemelerveld **NL** (O) 8 Gc 34
Lemiers **NL** (L) 20 Ga 44
Lemmer **NL** (FR) 3 Fe 31
Lemsterland **NL** (FR) 3 Fe 31
Lendelede **B** (W-V) 16 Db 43
Lengeler **B** (LIE) 26 Ga 47
Lennik **B** () 19 Eb 44
Lennik, Sint-Kwintens- **B** (BR) 18 Ea 44
Lennik, Sint-Martens- **B** (BR) 18 Ea 44
Lenningen **L** (GRE) 32 Gc 51
Lennisheuvel **NL** (N-B) 12 Fb 39
Lens **B** (H) 23 Df 45
Lens-Saint-Remy **B** (LIE) 25 Fa 45
Lens-Saint-Servas **B** (LIE) 19 Fb 44
Lent **NL** (GLD) 12 Ff 37
Leopoldsburg **B** (LIM) 19 Fb 42
Leo Stichting **NL** (GLD) 8 Gd 36
Lepelstraat **NL** (N-B) 10 Eb 39
Lerop **NL** (L) 20 Ga 41
Les Bons Villers **B** (H) 24 Ec 45
Lescheret **B** (LU) 31 Fd 49
Lesdain **B** (H) 23 Dc 45
Lesse **B** (LU) 25 Fa 49
Lessines **B** (H) 17 Df 44
Lessive **B** (N) 25 Fa 48
Lesterny **B** (LU) 25 Fb 48
Lesve **B** (N) 24 Ee 46
Lettelbert **NL** (GRO) 4 Gc 29
Lettele **NL** (O) 8 Gb 35
Letterhoutem **B** (O-V) 17 Df 43
Leudelange **L** (LUX) 32 Ga 51
Leugnies **B** (H) 24 Eb 47
Leunen **NL** (L) 12 Ff 39
Leupegem **B** (O-V) 17 Dd 44
Leur **NL** (GLD) 12 Fe 38
Leur, Etten- **NL** (N-B) 11 Ee 39
Leusden **NL** (U) 7 Fc 36
Leusden-Centrum **NL** (U) 7 Fc 36
Leusden-Zuid **NL** (U) 7 Fc 36
Leut **B** (LIM) 20 Fe 42
Leuth **NL** (GLD) 12 Ga 37
Leuven = Louvain **B** (BR) 18 Ee 43
Leuvenheim **NL** (GLD) 8 Ga 36
Leuvenum **NL** (GLD) 7 Fe 35
Leuze **B** (H) 23 Dd 45
Leuze **B** (N) 25 Ef 45
Leuze, Somme- **B** (N) 25 Fc 46
Leval-Chaudeville **B** (H) 24 Eb 47
Leval-Trahegnies **B** (H) 24 Eb 46
Levelange **L** (D) 31 Ff 50
Leveroij **NL** (L) 20 Ff 41
Lewedorp **NL** (Z) 10 De 40
Lewenborg **NL** (GRO) 4 Gd 29
Lexhy **B** (LIE) 19 Fc 45
Lexmond **NL** (Z-H) 11 Fa 37
Lhee **NL** (DR) 4 Gc 32
Liberchies **B** (H) 23 Dd 45
Liberchies **B** (H) 24 Ec 45
Libersart **B** (BR) 18 Ee 45
Libin **B** (LU) 25 Fb 49
Libois **B** (N) 25 Fb 46
Libramont **B** (LU) 31 Fc 49
Libramont-Chevigny **B** (LU) 31 Fc 49
Lichtaart **B** (A) 19 Ef 41
Lichtenvoorde **NL** (GLD) 13 Gd 37
Lichtervelde **B** (W-V) 16 Da 42
Lichtmis, De **NL** (O) 8 Gb 33
Liedekerke **B** (BR) 18 Ea 43
Lieferinge **B** (O-V) 17 Ea 44
Liefrange **L** (D) 31 Ff 49
Liège **B** (LIE) 19 Fd 45
Lieler **B** (D) 26 Ga 48
Liempde **NL** (N-B) 12 Fc 39
Lienden **NL** (GLD) 12 Fd 37
Lier, De **NL** (Z-H) 10 Eb 37
Lier = Lierre **B** (A) 18 Ed 42
Lierde **B** (O-V) 17 Df 44
Lierde, Sint-Martens- **B** (O-V) 17 Df 44
Lierde, Sint-Maria- **B** (O-V) 17 Df 44
Lierderholthuis **NL** (O) 8 Gb 34
Lierneux **B** (LIE) 26 Fe 47
Liernu **B** (N) 25 Ef 45
Lierop **NL** (N-B) 12 Fe 40
Liers **B** (LIE) 19 Fd 44
Lies **NL** (FR) 3 Fb 28
Lieshout **NL** (N-B) 12 Fd 39
Liessel **NL** (N-B) 12 Ff 40
Liesveld **NL** (Z-H) 11 Ef 37
Lievelde **NL** (GLD) 13 Gd 36
Lieveren **NL** (DR) 4 Gc 30
Lieving **NL** (DR) 4 Gd 31
Liezele **B** (A) 18 Eb 42
Ligne **B** (H) 23 De 45
Lignères **B** (LU) 25 Fc 47
Ligny **B** (N) 24 Ed 45
Ligtenberg **NL** (O) 8 Gc 35
Lijnden **NL** (GLD) 12 Ff 37
Lijnden **NL** (N-H) 6 Ee 34
Lijssenthoek **B** (W-V) 16 Ce 44
Lille **B** (A) 18 Ef 41
Lille, Sint-Huibrechts- **B** (LIM) 19 Fd 41
Lillois-Witterzée **B** (BR) 18 Ec 45
Limal **B** (BR) 18 Ed 44
Limbourg **B** (LIE) 20 Ff 45
Limbricht **NL** (L) 20 Ff 42
Limelette **B** (BR) 18 Ed 44
Limerlé **B** (LU) 26 Ff 48
Limes **B** (LU) 31 Fc 51
Limmel **NL** (L) 20 Fe 43
Limmen **NL** (N-H) 6 Ee 33
Limont **B** (LIE) 19 Fc 45
Limont **B** (LIE) 25 Fd 45
Limpach **L** (LUX) 32 Ff 51
Lincé **B** (LIE) 26 Fe 45
Lincent **B** (LIE) 19 Fa 44
Linde **B** (LIM) 19 Fc 42
Linde **B** (W-V) 16 Ce 43
Linde **NL** (GLD) 8 Gc 36
Lindeman, De - **B** (LIM) 19 Fc 42
Linden **B** (BR) 18 Ee 43
Linden **NL** (N-B) 12 Ff 38
Lindenheuvel **NL** (L) 20 Fe 43
Lindenhoek **B** (O-V) 17 De 42
Linger **L** (LUX) 31 Ff 51
Lingewaal **NL** (GLD) 11 Fa 37
Lingsfort **NL** (L) 13 Gb 40
Linkebeek **B** (BR) 18 Ec 44
Linkhout **B** (LIM) 19 Fa 43
Linne **NL** (L) 20 Ff 42
Linschoten **NL** (U) 7 Ef 36
Linsmeau **B** (BR) 19 Fa 44
Lint, Sint-Leonardus- **B** (A) 18 Ec 42
Lint **B** (A) 18 Ed 42
Lintelo **NL** (GLD) 13 Gd 37
Linter **B** (BR) 19 Fa 43
Lintgen **L** (LUX) 32 Ga 50
Lintvelde **NL** (GLD) 8 Gd 36
Lippenhuizen **NL** (FR) 4 Ga 30
Lipperscheid **L** (D) 26 Ga 49
Lischert **B** (LU) 31 Fe 50
Lisogne **B** (N) 25 Ef 47
Lisse **NL** (Z-H) 6 Ed 35
Lisserbroek **NL** (N-H) 6 Ed 35
Lissewege **B** (W-V) 16 Db 41
Lith **NL** (N-B) 12 Fc 38
Lithoijen **NL** (N-B) 12 Fc 38
Littenseradiel **NL** (FR) 3 Fd 30
Livange **L** (LUX) 32 Ga 51
Lixhe **B** (LIE) 19 Fe 44
Lo, Kessel- **B** (BR) 18 Ee 43
Lobbes **B** (H) 24 Eb 46
Lobith **NL** (GLD) 13 Ga 37
Lochem **NL** (GLD) 8 Gc 36
Lochristi **B** (O-V) 17 Df 42
Lochuizen **NL** (GLD) 9 Gd 36
Lodelinsart **B** (H) 24 Ec 46
Loenen **NL** (GLD) 8 Ga 36
Loenen **NL** (U) 7 Fa 35
Loenersloot **NL** (U) 7 Fa 35
Loenhout **B** (A) 11 Ee 40
Loerbeek **NL** (GLD) 13 Gb 37
Loete **NL** (Z-H) 6 Ed 36
Logbiermé **B** (LIE) 26 Ff 46
Loil **NL** (GLD) 13 Ga 37
Loker **B** (W-V) 16 Ce 44
Lokeren **B** (O-V) 18 Ea 42
Lo-Korbeek **B** (BR) 18 Ee 43
Loksbergen **B** (LIM) 19 Fa 43
Lollum **NL** (FR) 3 Fd 30
Lombardsijde **B** (W-V) 16 Ce 42
Lombise **B** (H) 23 Df 45
Lomm **NL** (L) 13 Gb 40
Lommel **B** (LIM) 19 Fb 41
Lommersweiler **B** (LIE) 26 Gb 47
Lompret **B** (H) 24 Ec 48
Lomprez **B** (LU) 25 Fa 48
Lomré **B** (LU) 26 Ff 47
Loncin **B** (LIE) 19 Fd 44
Londerzeel **B** (BR) 18 Eb 42
Longchamps **B** (LU) 26 Fe 48
Longchamps **B** (N) 25 Ef 45
Longeau **B** (LU) 31 Fe 51
Longerhouw **NL** (FR) 3 Fc 30
Longfaye **B** (LIE) 26 Ga 46
Longlier **B** (LU) 31 Fc 49
Longpont **B** (H) 17 Df 44
Long-Pré **B** (H) 24 Ed 45
Long-Pré **B** (LIE) 25 Fb 45
Longsdorf **L** (D) 26 Gb 49
Longueville **B** (BR) 18 Ee 44
Longvilly **B** (LU) 26 Fe 48
Lonneker **NL** (O) 9 Gf 35
Lontzen **B** (LIE) 20 Ga 44
Lonzée **B** (N) 24 Ee 45
Loo **NL** (O) 8 Gc 35
Loo, 't **NL** (GLD) 8 Ff 34
Loon, Rukkelingen- **B** (LIM) 19 Fb 44
Loon **NL** (DR) 4 Gd 30
Loonbeek **B** (BR) 18 Ed 44
Loon op Zand **NL** (N-B) 11 Fa 39
Looperskapelle **NL** (Z) 10 Df 38
Loosbroek **NL** (N-B) 12 Fd 38
Loosdrecht **NL** (U) 7 Fa 35
Loosduinen **NL** (Z-H) 10 Eb 36
Lopik **NL** (U) 11 Ef 37
Lopikerkapel **NL** (U) 11 Fa 36
Loppem **B** (W-V) 16 Db 42
Loppersum **NL** (GRO) 5 Ge 28
Lorcé **B** (LIE) 26 Fe 46
Lorcy **B** (LU) 25 Fc 48
Lo-Reninge **B** (W-V) 16 Ce 43
Lorentzweiler **L** (LUX) 32 Ga 50
Losdorp **NL** (GRO) 5 Gf 28
Losser **NL** (O) 9 Ha 35
Lot **B** (BR) 18 Eb 44
Lotenhulle **B** (O-V) 17 Dc 42
Lotenne **B** (N) 24 Ee 47
Lottum **NL** (L) 13 Gb 40
Louette-Saint-Denis **B** (N) 25 Ef 49
Louette-Saint-Pierre **B** (N) 25 Ef 49
Louftémont **B** (LU) 31 Fd 50
Louise-Marie **B** (O-V) 17 Dd 44
Loupoigne **B** (BR) 24 Ec 45
Louvain-La-Neuve **B** (BR) 18 Ed 44
Louvain-La-Neuve, Ottignies- **B** (BR) 18 Ed 44
Louveigne **B** (LIE) 26 Fe 45
Louvière, La - **B** (H) 24 Eb 46
Louvière **B** (H) 24 Eb 48
Louvignies **B** (H) 23 Ea 45
Louvignies, Chaussée-Notre-Dame- **B** (H) 23 Ea 45
Louwel **B** (LIM) 19 Fd 42
Loveld **B** (O-V) 17 Dc 42
Lovendegem **B** (O-V) 17 Dd 42
Lovenjoel **B** (BR) 18 Ee 43
Lovie **B** (W-V) 16 Ce 43
Loyers **B** (N) 25 Ef 46
Loyers **B** (N) 25 Ef 47
Lozen **B** (LIM) 19 Fd 41
Lozer **B** (O-V) 17 Dd 43
Lubbeek **B** (BR) 18 Ef 43
Lucaswolde **NL** (GRO) 4 Gb 29
Luchteren **B** (O-V) 17 Dd 42
Luigem **B** (W-V) 16 Cf 43
Luingne **B** (H) 16 Db 44
Luinjeberd **NL** (FR) 4 Ff 31
Lullange **L** (D) 26 Ff 48
Lultzhausen **L** (D) 31 Ff 49
Lumay **B** (BR) 19 Ef 44
Lummen **B** (LIM) 19 Fb 43
Lunteren **NL** (GLD) 7 Fd 36
Lustin **B** (N) 25 Ef 46
Lutjebroek **NL** (N-H) 7 Fb 32
Lutjegast **NL** (GRO) 4 Gb 29
Lutjewinkel **NL** (N-H) 6 Ef 32
Lutjewoude, Augsbuurt- **NL** (FR) 4 Ga 29
Lutlommel **B** (LIM) 19 Fc 41
Lutrebois **B** (LU) 26 Fe 49
Lutremange **B** (LU) 26 Fe 49
Lutsborg **NL** (GRO) 4 Gd 30
Lutte, De **NL** (O) 9 Ha 35
Luttelgeest **NL** (O) 8 Ff 32
Lutten **NL** (O) 8 Gd 33
Luttenberg **NL** (O) 8 Gc 34
Lutterveld **NL** (O) 8 Gd 33
Luttre **B** (H) 24 Ec 45
Luxembourg **L** (LUX) 32 Ga 51
Luxenart **B** (H) 24 Ec 45
Luxwoude **NL** (FR) 4 Ff 30
Luyksgestel **NL** (N-B) 19 Fc 41
Luzery **B** (LU) 26 Fe 48
Lytshuzen **NL** (FR) 3 Fd 31

M

Maagdeveld **B** (W-V) 16 Da 42
Maagd van Gent **B** (O-V) 17 De 41
Maaldrift **NL** (Z-H) 6 Ec 36
Maarheeze **NL** (N-B) 19 Fd 41
Maarkedal **B** (O-V) 17 Dd 44
Maarke-Kerkem **B** (O-V) 17 De 44
Maarn **NL** (U) 7 Fc 36
Maarsbergen **NL** (U) 7 Fc 36
Maarssen **NL** (U) 7 Fa 36
Maarssenbroek **NL** (U) 7 Fa 36
Maartensdijk **NL** (U) 7 Fb 36
Maasbommel **NL** (GLD) 12 Fd 38
Maasbracht **NL** (L) 20 Ff 42
Maasbree **NL** (L) 13 Ga 40
Maasdam **NL** (Z-H) 11 Ed 38
Maasdijk **NL** (Z-H) 10 Eb 37
Maasdriel **NL** (GLD) 12 Fb 38
Maaseik **B** (LIM) 20 Fe 42
Maashees **NL** (N-B) 12 Ff 39
Maaskantje **NL** (N-B) 12 Fc 39
Maasland **NL** (Z-H) 10 Eb 37
Maasmechelen **B** (LIM) 20 Fe 43
Maasniel **NL** (L) 20 Ga 41
Maassluis **NL** (Z-H) 10 Eb 37
Maastricht **NL** (L) 20 Fe 43
Maboge **B** (LU) 25 Fd 47
Mabompré **B** (LU) 26 Fe 48
Macharen **NL** (N-B) 12 Fd 38
Machelen **B** (BR) 18 Ec 43
Machelen **B** (O-V) 17 Dc 43
Machtum **L** (GRE) 32 Gc 50
Macon **B** (H) 24 Eb 48
Macquenoise **B** (H) 24 Eb 49
Made **NL** (N-B) 11 Ee 38
Made en Drimmelen **NL** (N-B) 11 Ee 38
Maffe **B** (N) 25 Fb 46
Maffle **B** (H) 23 De 45
Mageret **B** (LU) 26 Fe 48
Magerotte **B** (LU) 25 Fd 49
Magnée **B** (LIE) 25 Fe 45
Magrette **NL** (Z) 17 Df 41
Mahoux **B** (N) 25 Ef 47
Maibelle **B** (N) 25 Fa 46
Maillen **B** (N) 25 Ef 46
Maillet **B** (H) 17 Dd 44
Mainvault **B** (H) 17 De 45
Maisières **B** (H) 23 Df 45
Maison **B** (N) 24 Ee 46
Maison-du-Roi **B** (BR) 18 Ec 45
Maisons-Sottiaux **B** (LIE) 25 Fb 45
Maissin **B** (LU) 25 Fb 49
Maizeret **B** (N) 25 Ef 46
Makkinga **NL** (FR) 4 Gb 31
Makkum **NL** (FR) 3 Fc 30
Malberg **NL** (L) 19 Fe 43
Malburgen **NL** (GLD) 12 Ff 37
Maldegem **B** (O-V) 17 Dc 41
Malden **NL** (GLD) 12 Ff 38
Malderen **B** (BR) 18 Eb 42
Maldingen **B** (LIE) 26 Ga 47
Maleise **B** (BR) 18 Ed 44
Malempré **B** (LU) 26 Fe 47
Malèves **B** (BR) 18 Ee 45
Malheurs, Les - **B** (LIE) 25 Fa 45
Maliskamp **NL** (N-B) 12 Fc 38
Malle **B** () 18 Ee 41
Malonne **B** (N) 24 Ee 46
Malscheid **B** (LIE) 26 Ga 47
Malsemaine **B** (LIE) 25 Fb 45
Malvoisin **B** (H) 25 Ef 48
Mamer **L** (LUX) 32 Ga 51
Manage **B** (H) 24 Eb 45
Mander **NL** (O) 9 Gf 34
Manderfeld **B** (LIE) 26 Gc 46
Manderveen **NL** (O) 9 Ge 34
Mande-Saint-Etienne **B** (LU) 25 Fd 48
Manegem **B** (W-V) 16 Db 43
Mangelaar **B** (W-V) 16 Cf 43
Manhay **B** (LU) 26 Fe 47
Mannekensvere **B** (W-V) 16 Ce 42
Manternach **L** (GRE) 32 Gc 50
Mantgum **NL** (FR) 4 Fe 30
Mantinge **NL** (DR) 4 Gd 32
Maransart **B** (BR) 24 Ec 45
Marayes, Les - **B** (N) 24 Ee 45
Marbais **B** (BR) 24 Ed 45
Marbaix **B** (H) 24 Ec 46
Marbehan **B** (LU) 31 Fd 50
Marbisoux **B** (H) 24 Ed 45
Marche-en-Famenne **B** (LU) 25 Fc 47
Marche-les-Dames **B** (N) 25 Ef 46
Marche-lez-Ecaussinnes **B** (H) 24 Eb 45
Marchienne-au-Pont **B** (H) 24 Eb 46
Marchin **B** (LIE) 25 Fb 46
Marchipont **B** (H) 23 De 46
Marchovelette **B** (N) 25 Ef 45
Marcinelle **B** (H) 24 Eb 46
Marcouray **B** (LU) 25 Fd 47
Marcourt **B** (LU) 25 Fd 47
Marcq **B** (H) 17 Ea 44
Maredret **B** (N) 24 Ee 47
Maren **NL** (N-B) 12 Fc 38
Maren-Kessel **NL** (N-B) 12 Fc 38
Marenne **B** (LU) 25 Fc 47
Margote **B** (O-V) 17 Df 43
Margraten **NL** (L) 20 Ff 44
Maria-Aalter **B** (O-V) 17 Dc 42
Mariaburg **B** (A) 18 Ec 41
Mariaheide **NL** (N-B) 12 Fd 39
Mariahoeve **NL** (Z-H) 11 Ec 36
Mariahoop **NL** (L) 20 Ff 42
Mariahout **NL** (N-B) 12 Fd 39
Mariakerke **B** (W-V) 16 Cf 41
Marialoop **B** (W-V) 17 Dc 43
Mariaparochie **NL** (O) 9 Ge 34
Maria-ter-Heide **B** (A) 18 Ed 41
Mariekerke **NL** (Z) 10 Dd 39
Mariembourg **B** (N) 24 Ed 48
Mariënberg **NL** (O) 8 Gd 33
Mariënheem **NL** (O) 8 Gb 34
Mariënvelde **NL** (GLD) 13 Gc 36
Mariënwaard **NL** (GLD) 12 Fb 37
Marilles **B** (BR) 19 Ef 44
Marke **B** (W-V) 17 Db 44
Markegem **B** (W-V) 17 Dc 43
Markelo **NL** (O) 8 Gd 35
Marken **NL** (N-H) 7 Fa 34
Markenbinnen **NL** (N-H) 6 Ee 33
Markhove **B** (W-V) 16 Da 42
Marknesse **NL** (O) 8 Ff 32
Marle **NL** (O) 8 Gd 34
Marloie **B** (LU) 25 Fc 47
Marnach **L** (D) 26 Ga 48
Marneffe **B** (LIE) 25 Fb 45
Marolle **B** (O-V) 17 Dd 43
Marquain **B** (H) 23 Db 45
Marrum **NL** (FR) 3 Fe 29
Marssum **NL** (FR) 3 Fe 29
Martelange **B** (LU) 31 Fe 50
Martenshoek **NL** (GRO) 5 Ge 30
Martilly **B** (LU) 31 Fc 50
Martouzin **B** (N) 25 Fa 48
Martué **B** (LU) 31 Fb 50
Marum **NL** (FR) 4 Gb 30
Marvie **B** (LU) 26 Fe 49
Marzelle **B** (H) 24 Eb 47
Masbourg **B** (LU) 25 Fb 48
Masnuy-Saint-Jean **B** (H) 23 Df 45
Masnuy-Saint-Pierre **B** (H) 23 Df 45
Maspelt **B** (LIE) 26 Ga 47
Massemen **B** (O-V) 17 Df 43
Massenhoven **B** (A) 18 Ed 41
Massul **B** (LU) 31 Fd 49
Mastenbroek **NL** (O) 8 Ga 33
Mastwijk **NL** (U) 7 Ef 36
Matagne-la-Grande **B** (N) 24 Ed 48
Matagne-la-Petite **B** (N) 24 Ed 48
Maten, De **NL** (GLD) 8 Ga 35
Mater **B** (O-V) 17 De 43
Maubray **B** (H) 23 Dd 45
Maulde **B** (H) 23 Dd 45
Maurage **B** (H) 24 Ea 46
Maurenne **B** (N) 24 Ee 47
Maurik **NL** (GLD) 12 Fc 37
Mauvinage **B** (H) 17 Df 45
Mazée **B** (N) 24 Ee 48
Mazenzele **B** (BR) 18 Eb 43
Mazy **B** (N) 24 Ee 45
Méan **B** (N) 25 Fc 46
Meaurain **B** (H) 23 De 46
Mechelen **NL** (L) 20 Ff 44
Mechelen = Malines **B** (A) 18 Ec 42
Mecher **B** (D) 26 Ga 48
Mecher **L** (D) 26 Ff 49
Meddo **NL** (GLD) 9 Ge 36
Medell **B** (LIE) 26 Gb 46
Medemblik **NL** (N-H) 2 Fa 32
Medendorf **B** (LIE) 26 Gb 46
Medernach **L** (D) 32 Gb 50
Médingen **L** (LUX) 32 Gb 51
Meeden **NL** (GRO) 5 Gf 30
Meedhuizen **NL** (GRO) 5 Gf 29
Meeffe **B** (LIE) 25 Fa 45
Meele, De **NL** (O) 8 Gb 33
Meensel **B** (BR) 19 Ef 43
Meer **B** (A) 11 Ee 40
Meer, Val- **B** (LIM) 19 Fd 44
Meer **NL** (O) 8 Gc 34
Meerbeek **B** (BR) 18 Ed 43
Meerbeeksehoek **B** (BR) 18 Ed 43
Meerbeke **B** (O-V) 17 Ea 44
Meerdonk **B** (O-V) 17 Ea 41
Meerhout **B** (A) 19 Fa 42
Meerkerk **NL** (Z-H) 11 Fa 37
Meerlaar **B** (A) 19 Fa 42
Meerland **NL** (GRO) 5 Ha 29
Meerle **B** (A) 11 Ef 40
Meerlo **NL** (L) 13 Ga 39
Meerlo-Wanssum **NL** (L) 13 Ga 39
Meern, De **NL** (U) 7 Fa 36
Meern, Vleuten-De **NL** (U) 7 Fa 36
Meers **NL** (L) 20 Fe 43
Meersel **B** (A) 11 Ee 40
Meerssen **NL** (L) 20 Fe 43
Meerzicht **NL** (Z-H) 11 Ec 36
Meetkerke **B** (W-V) 17 Db 41
Meeuwen **NL** (N-B) 11 Fa 38
Meeuwen-Gruitrode **B** (LIM) 19 Fd 42
Megchelen **NL** (GLD) 13 Gc 37
Megelsum **NL** (L) 13 Ga 39
Megen **NL** (N-B) 12 Fd 38
Mehaigne **B** (N) 25 Ef 45
Meiboom **B** (W-V) 16 Db 42
Meigem **B** (O-V) 17 Dd 42
Meije **NL** (Z-H) 6 Ee 36
Meijel **NL** (L) 12 Ff 40
Meilegem **B** (O-V) 17 De 43
Meise **B** (BR) 18 Ec 43

42 (B) (NL) (L) **Lekkerkerk – Meise**

Rijnsaterwoude **NL** (Z-H) 6 Ee 35
Rijnsburg **NL** (Z-H) 6 Ec 35
Rijp, Graft-De **NL** (N-H) 6 Ef 33
Rijperkerk = Ryptsjerk **NL** (FR) 4 Ff 29
Rijpwetering **NL** (Z-H) 6 Ed 35
Rijs **NL** (FR) 3 Fc 31
Rijsbergen **NL** (N-B) 11 Ee 39
Rijsenburg, Driebergen- **NL** (U) 7 Fb 36
Rijsenhout **NL** (N-H) 6 Ee 35
Rijsoord **NL** (Z-H) 11 Ed 37
Rijssel **B** (O-V) 17 Df 41
Rijsseleind **B** (W-V) 16 Db 43
Rijssen **NL** (O) 8 Gd 35
Rijswijk **NL** (GLD) 12 Fc 37
Rijswijk **NL** (N-B) 11 Fa 38
Rijswijk **NL** (Z-H) 10 Eb 36
Rijt **NL** (N-B) 19 Fb 41
Riksingen **B** (LIM) 19 Fc 44
Rillaar **B** (BR) 19 Ef 43
Rilland **NL** (Z) 10 Eb 40
Rimière, Rotheux- **B** (LIE) 25 Fd 45
Ringel **L** (D) 26 Ga 49
Rinnegom **NL** (N-H) 6 Ee 33
Rinsumageest **NL** (FR) 4 Ff 29
Rippig **L** (GRE) 32 Gb 50
Rippweiler **L** (D) 32 Ff 50
Rips **NL** (N-B) 12 Fe 39
Risbart, Sart- **B** (BR) 18 Ee 44
Ris-de-Flandre **B** (N) 24 Ef 46
Ritsumazijl **NL** (FR) 3 Fe 29
Ritthem **NL** (Z) 10 Dd 40
Rivage **B** (LIE) 26 Ff 46
Rivière **B** (N) 25 Ef 47
Rixensart **B** (BR) 18 Ed 44
Rixtel, Aarle- **NL** (N-B) 12 Fe 39
Ro **B** (O-V) 17 Dd 42
Robechies **B** (H) 24 Eb 48
Robelmont **B** (LU) 31 Fd 51
Robertville **B** (LIE) 26 Ga 46
Roborst **B** (O-V) 17 De 43
Roche-en-Ardenne, La **B** (LU) 25 Fd 47
Rochefort **B** (N) 25 Fb 47
Rochehaut **B** (LU) 30 Fa 49
Rochelinval **B** (LIE) 26 Ff 46
Rocherath **B** (LIE) 26 Gb 46
Rockanje **NL** (Z-H) 10 Ea 37
Roclenge-sur-Geer **B** (LIE) 19 Fd 44
Rocourt **B** (LIE) 19 Fd 44
Rod **B** (LIE) 26 Ga 47
Rodange **L** (LUX) 31 Fe 51
Rode, Sint-Brixius- **B** (BR) 18 Ec 43
Rode, Sint-Genesius- = Rhode-Saint-Genese **B** (BR) 18 Ec 44
Rode, Sint-Agatha- **B** (BR) 18 Ed 44
Rode, Sint-Pieters- **B** (BR) 18 Ef 43
Roden **NL** (DR) 4 Gc 30
Rodenburg **L** (GRE) 32 Gb 50
Rodendries **B** (O-V) 18 Ea 42
Rodenrijs, Berkel en **NL** (Z-H) 11 Ec 37
Rodenrijt **B** (LIM) 19 Fd 41
Roder **B** (D) 26 Ga 48
Roderesch **NL** (DR) 4 Gc 30
Rodershausen **L** (D) 26 Ga 48
Roderwolde **NL** (DR) 4 Gc 29
Rodt **L** (LUX) 32 Ga 50
Roebollingehoek **NL** (O) 8 Ga 33
Roedgen **L** (LUX) 32 Ga 51
Roelofarendsveen **NL** (Z-H) 6 Ed 35
Roermond **NL** (L) 20 Ga 41
Roesbrugge **B** (W-V) 16 Cd 43
Roeselare **B** (O-V) 17 Df 43
Roeselare **B** (W-V) 16 Da 43
Roeser **L** (LUX) 32 Ga 51
Rœulx, Le - **B** (H) 23 Ea 45
Rogat **NL** (DR) 8 Gb 32
Rogery **B** (LU) 26 Ff 47
Roggebotsluis **NL** (F) 8 Ff 33
Roggel **NL** (L) 20 Ff 41
Rognée **B** (N) 24 Ec 47
Roisin **B** (H) 23 De 46
Rois-Quatre **B** (W-V) 16 Cf 44
Rolde **NL** (DR) 5 Ge 31
Rollegem **B** (W-V) 16 Db 44
Rollegem-Kapelle **B** (W-V) 16 Da 43
Rollegemknok **B** (W-V) 17 Db 44
Rolling **L** (GRE) 32 Gb 51
Rollingen **L** (LUX) 32 Ga 50
Rollinger Grund **L** (LUX) 32 Ga 51
Roloux **B** (LIE) 19 Fc 45
Roly **B** (N) 24 Ed 48
Romedenne **B** (N) 24 Ee 47
Romerée **B** (N) 24 Ee 48
Romershoven **B** (LIM) 19 Fc 43
Romont **B** (BR) 17 Df 44
Rompert, De **NL** (N-B) 12 Fb 38
Romsée **B** (LIE) 19 Fe 45
Ronde Venen, De **NL** (U) 6 Ef 35
Rondu **B** (LU) 25 Fd 49
Ronduite **NL** (O) 8 Ga 32
Rongy **B** (H) 23 Dc 45
Ronquières **B** (H) 24 Eb 45
Ronse = Renaix **B** (O-V) 17 Dd 44
Ronsele **B** (O-V) 17 Dd 42
Ronvaux **B** (N) 25 Fa 47
Ronzon **B** (LU) 25 Fd 47
Roodeschool **NL** (GRO) 5 Ge 28
Roodkerk **NL** (FR) 4 Ff 29
Roodt **L** (GRE) 32 Gb 50
Roodt-lès-Ell **L** (D) 31 Fe 50
Rooien **B** (O-V) 18 Ea 43
Roordahuizen = Reduzum **NL** (FR) 3 Fe 30
Roosbeek **B** (BR) 18 Fb 43
Roosdaal **B** (O-V) 17 Ea 44
Roosendaal **NL** (N-B) 11 Ec 39
Roosendaal en Nispen **NL** (N-B) 11 Ec 39
Rooskenskant **NL** (L) 13 Ga 40
Roosteren **B** (LIM) 20 Fe 42
Roosteren **NL** (L) 20 Fe 42
Ropaix **B** (H) 23 Df 46
Rosée **B** (N) 24 Ee 47
Roselies **B** (H) 24 Ed 46
Rosières **B** (BR) 18 Ed 44
Rosmalen **NL** (N-B) 12 Fc 38
Rosmeer **B** (LIM) 19 Fd 43
Rosoux **B** (LIE) 19 Fb 44
Rosport **L** (GRE) 32 Gd 50
Rossart **B** (LU) 31 Fc 49
Rosseignies **B** (H) 24 Ec 45
Rosselaar **B** (A) 19 Fb 41
Rossem **B** (BR) 18 Eb 43
Rossignol **B** (LU) 31 Fc 50
Rossum **NL** (GLD) 12 Fc 38
Rossum **NL** (O) 9 Gf 34
Roswinkel **NL** (DR) 5 Ha 31
Rotem **B** (LIM) 20 Fe 42
Rotessart **B** (BR) 18 Ed 44
Rotheux-Rimière **B** (LIE) 25 Fd 45
Rotselaar **B** (BR) 18 Ee 43
Rotstergaast **NL** (FR) 4 Ff 31
Rotsterhaule **NL** (FR) 4 Ff 31
Rott **B** (LIE) 20 Ga 44
Rotte, De **NL** (Z-H) 11 Ed 37
Rotterdam **NL** (Z-H) 11 Ec 37
Rottevalle **NL** (FR) 4 Ga 30
Rottum **NL** (FR) 4 Ff 31
Rottum **NL** (GRO) 4 Gd 28
Roucourt **B** (H) 23 Dd 45
Rouge-Minère **B** (LIE) 25 Fd 46
Rouillon, Annevoie- **B** (N) 25 Ef 46
Roullingen **L** (D) 26 Ff 49
Roumont **B** (LU) 25 Fd 48
Rouveen **NL** (O) 8 Gb 33
Rouveroy **B** (H) 23 Ea 46
Rouvreux **B** (LIE) 25 Fd 46
Rouvroy **B** (LU) 31 Fc 51
Roux **B** (H) 24 Ec 46
Roux, Le - **B** (N) 24 Ed 46
Roux-Miroir **B** (BR) 18 Ee 44
Roverberg **NL** (Z) 18 Ea 40
Rovorst **B** (O-V) 17 De 44
Roy **B** (LU) 25 Fc 47
Rozebeke **B** (O-V) 17 De 43
Rozenburg **NL** (N-H) 6 Ee 35
Rozenburg **NL** (Z-H) 10 Eb 37
Rozendaal **NL** (GLD) 12 Ff 36
Rucphen **NL** (N-B) 11 Ed 39
Ruddershove, Velzeke- **B** (O-V) 17 De 43
Ruddervoorde **B** (W-V) 16 Db 42
Ruddervoorde **B** (W-V) 17 Db 44
Ruelles, Les - **B** (H) 23 De 45
Ruette **B** (LU) 31 Fd 51
Ruien **B** (O-V) 17 Dd 44
Ruigahuizen **NL** (FR) 3 Fd 31
Ruinen **NL** (DR) 4 Gc 32
Ruinerweide **NL** (DR) 8 Gb 32
Ruinerwold **NL** (DR) 8 Gb 32
Ruisbroek **B** (A) 18 Ec 42
Ruisbroek **B** (BR) 18 Eb 44
Ruiselede **B** (W-V) 17 Dc 42
Ruitenveen **NL** (O) 8 Gb 33
Ruiter, De - **B** (W-V) 16 Da 43
Ruiterhoek **B** (W-V) 16 Cf 42
Rukkelingen-Loon **B** (LIM) 19 Fb 44
Rulles **B** (LU) 31 Fd 50
Rumbeke **B** (W-V) 16 Da 43
Rumelange **L** (LUX) 32 Ga 52
Rumes **B** (H) 23 Db 45
Rumillies **B** (H) 23 Dc 45
Rummen **B** (BR) 19 Fb 43
Rumst **B** (A) 18 Ec 42
Rupelmonde **B** (O-V) 18 Eb 42
Russeignies **B** (H) 17 Dd 44
Rustenburg **NL** (N-H) 6 Ef 33
Rutten **B** (LIM) 19 Fc 44
Rutten **NL** (O) 3 Fe 32
Ruurlo **NL** (GLD) 8 Gc 36
Ruy **B** (LIE) 26 Ff 46
Ryptsjerk **NL** (FR) 4 Ff 29

S

Saaksum **NL** (GRO) 4 Gc 29
Saasveld **NL** (O) 9 Ge 35
Saaxumhuizen **NL** (GRO) 4 Gd 28
Saeul **L** (D) 32 Ff 50
Sainlez **B** (LU) 31 Fe 49
Saint-Adré **B** (LIE) 20 Fe 44
Saint Amand **B** (H) 24 Ed 45
Saint Aubin **B** (N) 24 Ed 47
Saint-Blaise, Mesnil- **B** (N) 25 Ef 47
Saint-Christophe, Montignies- **B** (H) 24 Eb 47
Saint-Denis **B** (H) 24 Ea 45
Saint Denis **B** (N) 24 Ee 45
Sainte-Begge **B** (N) 25 Fa 46
Sainte Cécile **B** (LU) 31 Fb 50
Sainte Marie **B** (LU) 31 Fd 50
Sainte-Marie-Chevigny **B** (LU) 31 Fc 49
Sainte-Ode **B** (LU) 25 Fd 48
Saintes **B** (BR) 18 Eb 44
Saint Étienne, Court- **B** (BR) 24 Ed 45
Saint Fontaine **B** (LIE) 25 Fb 46
Saint-Georges-sur-Meuse **B** (LIE) 25 Fc 45
Saint Gérard **B** (N) 24 Ee 46
Saint Germain **B** (N) 25 Ef 45
Saint-Géry **B** (BR) 24 Ed 45
Saint-Géry, Solre- **B** (H) 24 Eb 47
Saint-Ghislain **B** (H) 23 De 46
Saint Gilles = Sint Gillis **B** (BR) 18 Ec 44
Saint Hadelin **B** (LIE) 26 Fe 45
Saint-Hubert **B** (LU) 25 Fc 48
Saint-Jean-Geest **B** (BR) 19 Ef 44
Saint-Joseph **B** (N) 24 Ed 48
Saint Lambert **B** (N) 24 Ed 47
Saint-Léger **B** (H) 17 Db 44
Saint-Léger **B** (LU) 31 Fd 51
Saint Marc **B** (N) 24 Ef 46
Saint-Marcoult **B** (H) 17 Df 45
Saint Mard **B** (LU) 31 Fd 51
Saint-Marie-Geest **B** (BR) 19 Ef 44
Saint-Maur **B** (H) 23 Dc 45
Saint M'edard **B** (LU) 31 Fb 50
Saint Paul **B** (BR) 24 Ee 45
Saint-Pierre **B** (LU) 31 Fc 49
Saint-Remy **B** (H) 24 Eb 48
Saint Remy **B** (LIE) 20 Fe 44
Saint Remy **B** (LU) 31 Fd 51
Saint-Remy-Geest **B** (BR) 18 Ef 44
Saint-Sauveur **B** (H) 17 Dd 44
Saint Servais **B** (N) 24 Ef 46
Saint Severin **B** (LIE) 25 Fc 45
Saint-Symphorien **B** (H) 23 Ea 46
Saint Trond, Thorombais- **B** (BR) 24 Ee 45
Saint Vaast **B** (H) 24 Ea 46
Saint Vincent **B** (LU) 31 Fc 50
Saint-Vith = Sankt-Vith **B** (LIE) 26 Ga 47
Saisinne **B** (H) 23 Ea 45
Saive **B** (LIE) 20 Fe 44
Salet **B** (N) 24 Ee 47
Salle **B** (LU) 25 Fd 48
Salles **B** (H) 24 Eb 48
Salmchâteau **B** (LU) 26 Ff 47
Salvacourt **B** (LU) 26 Fe 49
Samart **B** (N) 24 Ed 47
Sambeek **NL** (N-B) 12 Ff 39
Sambreville **B** (H) 24 Ed 46
Samme, Virginal- **B** (BR) 18 Eb 45
Sampont **B** (LU) 31 Fe 50
Samrée **B** (LU) 25 Fd 47
Samson **B** (N) 25 Fa 46
Sandfirden **NL** (FR) 3 Fd 31
Sandweiler **L** (LUX) 32 Gb 51
Sanem **L** (LUX) 31 Ff 51
Sankt-Vith = Saint-Vith **B** (LIE) 26 Ga 47
Santpoort **NL** (N-H) 6 Ed 34
Sappemeer, Hoogezand- **NL** (GRO) 5 Ge 30
Sappemeer Noord **NL** (GRO) 5 Ge 29
Sars-la-Bruyère **B** (H) 23 Df 46
Sars-la-Buissière **B** (H) 24 Eb 46
Sart, Vieux- **B** (BR) 18 Ea 44
Sart **B** (BR) 24 Ee 45
Sart **B** (LIE) 26 Ff 45
Sart **B** (LU) 31 Fb 49
Sart-à-Rêves **B** (H) 24 Ec 45
Sart-Bernard **B** (N) 25 Ef 46
Sart-Custinne **B** (N) 25 Ef 48
Sart-Dames-Avelines **B** (BR) 24 Ed 45
Sart-d'Avril **B** (N) 25 Fa 45
Sart-en-Fagne **B** (N) 24 Ed 48
Sart Eustache **B** (N) 24 Ed 46
Sart-Mélin **B** (BR) 18 Ee 44
Sart-Messire-Guillaume **B** (BR) 24 Ed 45
Sartre, La - **B** (LIE) 25 Fb 45
Sart-Risbart **B** (BR) 18 Ee 44
Sarts, Les - **B** (H) 17 De 44
Sart-Saint-Laurent **B** (N) 24 Ee 46
Sas, Het - **B** (BR) 18 Ec 43
Sasput **NL** (Z) 10 Dd 40
Sassel **L** (D) 26 Ff 48
Sassenheim **NL** (Z-H) 6 Ed 35
Sas van Gent **NL** (Z) 17 De 41
Sautin **B** (H) 24 Eb 47
Sautor **B** (N) 24 Ed 47
Sauvagemont **B** (BR) 24 Ed 45
Sauvenière **B** (N) 24 Ee 45
Sauwerd **NL** (GRO) 4 Gd 29
Savelborn **L** (D) 32 Gb 50
Savy **B** (LU) 26 Fe 48
Sberchamps **B** (LU) 31 Fc 49
Schaarbeek **B** (BR) 18 Ec 43
Schaarsbergen **NL** (GLD) 8 Ff 36
Schadijk **NL** (L) 13 Ga 40
Schaesberg **NL** (L) 20 Ga 43
Schaffen **B** (BR) 19 Fa 42
Schaft **NL** (N-B) 19 Fc 41
Schagen **NL** (N-H) 2 Ee 32
Schagerbrug **NL** (N-H) 2 Ee 32
Schaijk **NL** (N-B) 12 Fd 38
Schaijksche Hoek **NL** (N-B) 12 Fd 38
Schakkebroek **B** (LIM) 19 Fb 43
Schalkhaar **NL** (O) 8 Gb 35
Schalkhoven **B** (LIM) 19 Fc 43
Schalkwijk **NL** (N-H) 6 Ee 34
Schalkwijk **NL** (U) 12 Fb 37
Schalsum **NL** (FR) 3 Fd 29
Schaltin **B** (N) 25 Fa 46
Schamelbeek **B** (BR) 18 Eb 44
Schandel **L** (D) 32 Ff 50
Schandelo **NL** (L) 13 Gb 40
Schapenbout **NL** (Z) 17 Df 41
Schardam **NL** (N-H) 7 Fa 33
Scharendijke **NL** (Z) 10 Df 38
Scharmer **NL** (GRO) 5 Ge 29
Scharnegoutum **NL** (FR) 4 Fe 30
Scharsterbrug **NL** (FR) 3 Fe 31
Scharwoude **NL** (N-H) 7 Fa 33
Scheemda **NL** (GRO) 5 Ha 29
Scheemdermeer **NL** (GRO) 5 Ha 29
Scheerwolde **NL** (O) 4 Ga 32
Scheewege **B** (W-V) 17 Db 42
Scheewege **B** (W-V) 17 Dc 41
Scheidel **L** (D) 26 Ga 49
Scheidgen **L** (GRE) 32 Gc 50
Scheldeoord **NL** (Z) 10 Df 40
Schelderode **B** (O-V) 17 De 43
Schelderwindeke **B** (O-V) 17 De 43
Schelle **B** (A) 18 Ec 42
Schelle **NL** (O) 8 Ga 33
Schellebelle **B** (O-V) 17 Df 42
Schellingwoude **NL** (N-H) 7 Ef 34
Schellinkhout **NL** (N-H) 7 Fa 33
Schelluinen **NL** (Z-H) 11 Ef 37
Schendelbeke **B** (O-V) 17 Df 44
Schengen **L** (GRE) 32 Gc 52
Schenkel **NL** (Z-H) 11 Ed 37
Schenkeldijk **NL** (Z-H) 11 Ec 38
Schenkeldijk **NL** (Z-H) 11 Ed 38
Schepdaal **B** (BR) 18 Eb 43
Schepken **B** (O-V) 17 Df 42
Schermer **NL** (N-H) 6 Ee 33
Schermerhorn **NL** (N-H) 6 Ef 33
Scherpenheuvel **B** (BR) 19 Ef 43
Scherpenheuvel-Zichem **B** (BR) 19 Ef 43
Scherpenisse **NL** (Z) 10 Ea 39
Scherpenzeel **NL** (FR) 4 Ff 31
Scherpenzeel **NL** (GLD) 7 Fd 36
Schettens **NL** (FR) 3 Fc 30
Scheveningen **NL** (Z-H) 6 Eb 36
Schiebroek **NL** (Z-H) 11 Ec 37
Schiedam **NL** (Z-H) 11 Ec 37
Schieren **L** (D) 32 Ga 49
Schiermonnikoog **NL** (FR) 2 Ga 28
Schifflange **L** (LUX) 32 Ga 51
Schijf **NL** (N-B) 11 Ed 40
Schijndel **NL** (N-B) 12 Fc 39
Schilde **B** (A) 18 Ed 41
Schildwolde **NL** (GRO) 5 Gf 29
Schimmert **NL** (L) 20 Ff 43
Schimpach **L** (D) 26 Ff 48
Schinnen **NL** (L) 20 Ff 43
Schin op Geul **NL** (L) 20 Ff 43
Schinveld **NL** (L) 20 Ff 43
Schiplaken **B** (BR) 18 Ed 43
Schipluiden **NL** (Z-H) 10 Ec 37
Schlammeste **L** (GRE) 32 Gb 51
Schlewenhaff **L** (LUX) 32 Ga 51
Schlierbach **B** (LIE) 26 Gb 47
Schlindermanderscheid **L** (D) 26 Ga 49
Schoenberg **B** (LIE) 26 Gb 47
Schoenfels **L** (LUX) 32 Ga 50
Schoonaarde **B** (BR) 18 Ed 43
Schoonaarde **B** (O-V) 17 Ea 42
Schoonbroek **B** (A) 19 Fa 41
Schoonderbuken **B** (BR) 19 Ef 43
Schoondijke **NL** (Z) 17 Dd 40
Schoonebeek **NL** (DR) 9 Gf 32
Schoonhoven **NL** (Z-H) 11 Ef 37
Schoonloo **NL** (DR) 5 Ge 31
Schoonoord **NL** (DR) 5 Ge 31
Schoonouwen **NL** (Z-H) 11 Ee 37
Schoonrewoerd **NL** (Z-H) 11 Fa 37
Schoor **B** (A) 19 Fb 41
Schoor **NL** (L) 20 Fe 41
Schoorbakke **B** (W-V) 16 Ce 42
Schoorl **NL** (N-H) 6 Ee 32
Schoos **L** (LUX) 32 Gb 50
Schoot **B** (LIM) 19 Fa 42
Schoot, Budel- **NL** (N-B) 19 Fd 41
Schooten, De **NL** (N-H) 2 Ee 31
Schoppen **B** (LIE) 26 Gb 46
Schore **B** (W-V) 16 Cf 42
Schore **NL** (Z) 10 Ea 40
Schorebrug **NL** (Z) 10 Ea 40
Schorisse **B** (O-V) 17 De 44
Schorvoort **B** (A) 19 Ef 41
Schotelven **B** (A) 19 Fa 41
Schoten **B** (A) 18 Ed 41
Schoterzijl **NL** (FR) 4 Fe 32
Schottershuizen **NL** (DR) 8 Gc 33
Schouw, Het **NL** (N-H) 7 Ef 34
Schouweiler **L** (LUX) 32 Ff 51
Schouwerzijl **NL** (GRO) 4 Gc 28
Schraard **NL** (FR) 3 Fc 30
Schrassig **L** (LUX) 32 Gb 51
Schriek **B** (A) 18 Ee 42
Schrondweiler **L** (LUX) 32 Gb 50
Schuddebeurs **NL** (Z) 10 Df 38
Schuddebeurs **NL** (Z) 17 Ea 41
Schuiferskapelle **B** (W-V) 17 Dc 42
Schuilenburg **NL** (O) 8 Gc 34
Schuinesloot **NL** (O) 8 Gd 33
Schulen **B** (LIM) 19 Fb 43
Schuring **NL** (Z-H) 11 Ec 38
Schutsloot, Belt- **NL** (O) 8 Ga 32
Schuttrange **L** (LUX) 32 Gb 51
Schuwacht **NL** (Z-H) 11 Ee 37
Schwebach **L** (D) 32 Ff 50
Schwebsange **L** (GRE) 32 Gc 51
Schweich **L** (D) 31 Ff 50
Schwiedelbrouch **L** (D) 31 Ff 50
Sclage **B** (BR) 24 Ed 45
Sclayn **B** (N) 25 Fa 46
Scry **B** (LIE) 25 Fd 45
Scy **B** (N) 25 Fb 47
Sebaldeburen **NL** (GRO) 4 Gb 29
Séchery **B** (LU) 25 Fa 48
Seghwaert **NL** (Z-H) 11 Ec 36
Seilles **B** (N) 25 Fa 45
Selange **B** (LU) 31 Ff 51
Sellingen **NL** (GRO) 5 Hb 31
Sellingerbeetse **NL** (GRO) 5 Ha 31
Sellingerzwarteveen **NL** (GRO) 5 Ha 31
Seloignes **B** (H) 24 Eb 48
Selscheid **L** (D) 26 Ff 48
Semmerzake **B** (O-V) 17 De 43
Semois **B** (LU) 30 Fa 50
Seneffe **B** (H) 24 Eb 45
Senenne **B** (N) 25 Fa 47
Senningen **L** (LUX) 32 Gb 51
Senonchamps **B** (LU) 25 Fd 48
Senseruth **B** (LU) 30 Fa 50
Seny **B** (LIE) 25 Fc 46
Senzeille **B** (N) 24 Ec 47
Separatiedijk **NL** (Z) 10 Eb 40
Septfontaines **L** (LUX) 32 Ff 50
Septon **B** (LU) 25 Fc 46
Seraing **B** (LIE) 25 Fd 45
Seraing-le-Château **B** (LIE) 19 Fb 45
Serang, Chapnon- **B** (LIE) 25 Fb 45
Serinchamps **B** (N) 25 Fb 47
Seron **B** (N) 25 Fa 45
Serooskerke **NL** (Z) 10 Dd 39
Serooskerke **NL** (Z) 10 Df 38
Serskamp **B** (O-V) 17 Df 43
Serville **B** (N) 24 Ee 47
Setz **B** (LIE) 26 Gb 47
Sevenum **NL** (L) 13 Ga 40
Séviscourt **B** (LU) 25 Fc 49
Sevry **B** (N) 25 Ef 48
Sexbierum **NL** (FR) 3 Fc 29
's-Graveland **NL** (N-H) 7 Fa 35

46 (B) (NL) (L) **Rijnsaterwoude – 's-Graveland**

's-Gravendeel **NL** (Z-H) 11 Ed 38
's-Gravenhage = Den Haag **NL** (Z-H) 6 Eb 36
's Gravenmoer **NL** (N-B) 11 Ef 39
's-Gravenpolder **NL** (Z) 10 Df 40
's-Gravenvoeren **B** (LIM) 20 Fe 44
's Gravenweg **NL** (Z-H) 11 Ed 37
's-Gravenwezel **B** (A) 18 Ed 41
's-Gravenzande **NL** (Z-H) 10 Eb 36
's-Heer Abtskerke **NL** (Z) 10 Df 40
's-Heer Arendskerke **NL** (Z) 10 Df 40
's-Heerenberg **NL** (GLD) 13 Gb 37
's-Heerenbroek **NL** (O) 8 Ga 33
's-Heerenhoek **NL** (Z) 10 De 40
's-Heerenloo **NL** (GLD) 7 Fd 35
's-Herenelderen **B** (LIM) 19 Fd 44
's-Hertogenbosch **NL** (N-B) 12 Fc 38
Sibbe **NL** (L) 20 Ff 43
Sibculo **NL** (O) 9 Gd 34
Sibrandabuorren **NL** (FR) 3 Fe 30
Sibret **B** (LU) 25 Fd 49
Siddeburen **NL** (GRO) 5 Gf 29
Siebenaler **L** (D) 26 Ga 48
Siebengewald **NL** (L) 13 Ga 39
Siegerswolde **NL** (FR) 4 Ff 30
Signeulx **B** (LU) 31 Fd 51
Sijbekarspel **NL** (N-H) 7 Fa 32
Sijbrandaburen = Sibrandabuorren **NL** (FR) 3 Fe 30
Sijpstraat **B** (O-V) 17 Ea 42
Sijsele **B** (W-V) 17 Dc 41
Sijslo **B** (W-V) 16 Db 42
Silenrieux **B** (N) 24 Ec 47
Silly **B** (H) 17 Df 45
Silvolde **NL** (GLD) 13 Gc 37
Simmerschmelz **L** (LUX) 32 Ff 50
Simonshaven **NL** (Z-H) 10 Eb 38
Simpelveld **NL** (L) 20 Ff 43
Sinaai **B** (O-V) 17 Ea 42
Sinderen **NL** (GLD) 13 Gc 37
Sinoutskerke **NL** (Z) 10 Df 40
Sinsin-la-Grande **B** (N) 25 Fb 47
Sinsin-la-Petite **B** (N) 25 Fb 47
Sint Agatha **NL** (N-B) 12 Ff 38
Sint Agatha, Cuijk en **NL** (N-B) 12 Ff 38
Sint-Agatha-Berchem = Berchem-Sainte-Agathe **B** (BR) 18 Eb 43
Sint-Agatha-Rode **B** (BR) 18 Ed 44
Sint-Amands **B** (A) 18 Eb 42
Sint-Amandsberg **B** (O-V) 17 De 42
Sint-Andries **B** (W-V) 16 Db 41
Sint Andries **NL** (GLD) 12 Fc 38
Sint Anna **B** (W-V) 16 Db 44
Sint Annaland **NL** (Z) 10 Ea 39
Sint Annaparochie **NL** (FR) 3 Fd 29
Sint-Anna-Pede **B** (BR) 18 Ea 44
Sint Anna ter Muiden **NL** (Z) 17 Dc 41
Sint Annen **NL** (GRO) 5 Ge 29
Sint-Antelinks **B** (O-V) 17 Df 43
Sint Anthonie-Polder **NL** (Z-H) 11 Ed 38
Sint Anthonis **NL** (N-B) 12 Ff 39
Sint-Antonius **B** (A) 18 Ed 41
Sint-Baafs-Vijve **B** (W-V) 17 Dc 43
Sint-Bernardus **B** (BR) 18 Ef 43
Sint-Brixius-Rode **B** (BR) 18 Ec 43
Sint-Denijs **B** (H) 17 Dc 44
Sint-Eloois-Vijve **B** (W-V) 17 Dc 43
Sint-Eloois-Winkel **B** (W-V) 16 Db 43
Sint Geertruid **NL** (L) 20 Fe 44
Sint-Genesius-Rode **B** (BR) 18 Ec 44
Sint-Gertrudis-Pede **B** (BR) 18 Ea 44
Sint-Gillis (Brussel) **B** (O-V) 18 Ea 42
Sint Gillis = Saint Gilles **B** (BR) 18 Ec 44
Sint-Gillis-Waas **B** (O-V) 18 Ea 41
Sint-Goriks-Oudenhove **B** (O-V) 17 De 43
Sint Hubert **NL** (N-B) 12 Fe 38
Sint Hubert, Mill en **NL** (N-B) 12 Fe 38
Sint-Huibrechts-Hern **B** (LIM) 19 Fc 43
Sint-Huibrechts-Lille **B** (LIM) 19 Fd 41
Sint-Idesbald **B** (W-V) 16 Cd 42
Sint Isidorushoeve **NL** (O) 9 Ge 35
Sint Jacobiparochie **NL** (FR) 3 Fd 29
Sint-Jakobs-Kapelle **B** (W-V) 16 Cf 42
Sint-Jan-in-Erema **B** (O-V) 17 Dd 41
Sint Jansklooster **NL** (O) 8 Ga 32
Sint Jansteen **NL** (Z) 17 Ea 41
Sint-Jans-Wijk **B** (O-V) 17 Dd 43
Sint-Jan-ter-Biezen **B** (W-V) 16 Ce 43
Sint-Job-in-'t-Goor **B** (A) 18 Ed 41
Sint Johannesga **NL** (FR) 4 Ff 31
Sint Joost **NL** (L) 20 Ff 42
Sint Joris **B** (W-V) 17 Dc 42
Sint-Joris-Weert **B** (BR) 18 Ee 44
Sint-Joris-Winge **B** (BR) 19 Ef 43
Sint-Jozef **B** (BR) 18 Eb 42
Sint Jozef **B** (W-V) 16 Da 42
Sint-Jozef-Olen **B** (A) 19 Ef 41
Sint-Jozefparochie **B** (A) 18 Ee 41
Sint Juliaan **B** (W-V) 16 Cf 43
Sint-Katarina-Kapel **B** (W-V) 16 Db 43
Sint-Katelijne-Houtem **B** (BR) 19 Ef 44
Sint-Katelijne-Waver **B** (A) 18 Ed 42
Sint-Katherina-Lombeek **B** (BR) 18 Ea 43
Sint-Kornelis-Horebeke **B** (O-V) 17 De 43
Sint Kruis **NL** (Z) 17 Dd 41
Sint-Kruis-Winkel **B** (O-V) 17 Df 42
Sint-Kwintens-Lennik **B** (BR) 18 Ea 44
Sint-Lambrechts-Herk **B** (LIM) 19 Fb 43
Sint-Lambrechts-Woluwe = Woluwé-Saint-Lambert **B** (BR) 18 Ec 43
Sint-Laureins **B** (O-V) 17 Dd 41
Sint Laurens **NL** (Z) 10 Dd 39
Sint Lenaarts **B** (A) 11 Ee 40
Sint-Leonardus-Lint **B** (A) 18 Ec 42
Sint-Lievens-Esse **B** (O-V) 17 Df 43
Sint-Lievens-Houtem **B** (O-V) 17 Df 43
Sint-Lodewijk **B** (W-V) 17 Dc 44
Sint Maarten **NL** (N-H) 6 Ee 32
Sint Maartensbrug **NL** (N-H) 2 Ee 32
Sint Maartensdijk **NL** (Z) 10 Ea 39
Sint Maartensvlotburg **NL** (N-H) 2 Ee 32
Sint Maartenszee **NL** (N-H) 2 Ee 32
Sint Margriete **B** (O-V) 17 Dd 41
Sint-Margriete-Houtem **B** (BR) 19 Ef 44
Sint-Maria-Horebeke **B** (O-V) 17 De 43
Sint-Maria-Latem **B** (O-V) 17 De 43
Sint-Maria-Lierde **B** (O-V) 17 Df 44
Sint-Maria-Oudenhove **B** (O-V) 17 De 43
Sint-Martens-Bodegem **B** (BR) 18 Eb 43
Sint-Martens-Latem **B** (O-V) 17 Dd 42
Sint-Martens-Leerne **B** (O-V) 17 Dd 42
Sint-Martens-Lennik **B** (BR) 18 Ea 44
Sint-Martens-Lierde **B** (O-V) 17 Df 44
Sint-Martens-Voeren **B** (LIM) 20 Fe 44
Sint-Michiels **B** (W-V) 16 Db 41
Sint Michielsgestel **NL** (N-B) 12 Fc 39
Sint Nicolaasga **NL** (FR) 3 Fe 31
Sint-Niklaas **B** (O-V) 18 Ea 41
Sint Odiliënberg **NL** (L) 20 Ga 42
Sint-Oedenrode **NL** (N-B) 12 Fc 39
Sint Pancras **NL** (N-H) 6 Ee 33
Sint Pauwels **B** (O-V) 18 Ea 41
Sint Philipsland **NL** (Z) 10 Eb 39
Sint-Pieter **B** (W-V) 16 Da 43
Sint-Pieters-Kapelle **B** (BR) 17 Ea 44
Sint-Pieters-Kapelle **B** (W-V) 16 Cf 42
Sint-Pieters-Leeuw **B** (BR) 18 Eb 44
Sint-Pieters-Rode **B** (BR) 18 Ef 43
Sint-Pieters-Voeren **B** (LIM) 20 Ff 44
Sint Rijkers **B** (W-V) 16 Ce 43
Sint-Stevens-Woluwe **B** (BR) 18 Eb 43
Sint-Truiden = Saint-Trond **B** (LIM) 19 Fb 44
Sint-Ulriks-Kapelle **B** (BR) 18 Eb 43
Sint-Verona **B** (BR) 18 Ed 43
Sint Willebrord **NL** (N-B) 11 Ed 39
Sippenaeken **B** (LIE) 20 Ff 44
Sirault **B** (H) 23 De 45
Sirieux **B** (H) 23 Ea 45
Sirjansland **NL** (Z) 10 Ea 38
Sittard **NL** (L) 20 Ff 42
Sivry-Rance **B** (H) 24 Eb 47
Skarsterlân **NL** (FR) 4 Fe 31
Skeuvre **B** (N) 25 Fa 46
Slabroek **NL** (N-B) 12 Fd 38
Slagharen **NL** (O) 8 Gd 33
Slappeterp **NL** (FR) 3 Fd 29
Sledderlo **B** (LIM) 19 Fd 43
Sleen **NL** (DR) 5 Ge 32
Sleeuwijk **NL** (N-B) 11 Ef 38
Sleidinge **B** (O-V) 17 De 42
Sleihage **B** (W-V) 16 Da 43
Slenaken **NL** (L) 20 Ff 44
Slettem **B** (O-V) 17 Df 43
Slichtenhorst **NL** (GLD) 7 Fd 35
Sliedrecht **NL** (Z-H) 11 Ee 38
Slijk-Ewijk **NL** (GLD) 12 Fe 37
Slijpe **B** (W-V) 16 Cf 42
Slijpskapelle **B** (W-V) 16 Da 43
Slikkerveer **NL** (Z-H) 11 Ed 37
Slingenberg **NL** (DR) 8 Gb 32
Slins **B** (LIE) 19 Fd 44
Slochteren **NL** (GRO) 5 Ge 29
Slootdorp **NL** (N-H) 3 Ef 31
Sloten **NL** (FR) 3 Fd 31
Sloten **NL** (N-H) 6 Ee 34
Slotervaart **NL** (N-H) 6 Ef 34
Sluipwijk **NL** (Z-H) 11 Ee 36
Sluis **B** (A) 19 Fa 41
Sluis **NL** (Z) 10 Ea 39
Sluis **NL** (Z) 17 Dc 41
Sluis **NL** (Z-H) 11 Fa 37
Sluiskil **NL** (Z) 17 De 41
Sluizen **B** (LIM) 19 Fd 44
Smallingerland **NL** (FR) 4 Ff 30
Smeerebbe-Vloerzegem **B** (O-V) 17 Df 44
Smeermaas **B** (LIM) 19 Fe 43
Smessenbroek **B** (O-V) 17 De 43
Smetlede **B** (O-V) 17 Df 43
Smilde **NL** (DR) 4 Gc 31
Smissenhoek **B** (O-V) 17 Df 43
Smitshoek **NL** (Z-H) 11 Ed 37
's-Molenaarsbuurt **NL** (Z-H) 6 Ed 36
Smuid **B** (LU) 25 Fb 48
Snaaskerke **B** (W-V) 16 Cf 41
Snakkerburen **NL** (FR) 3 Fe 29
Sneek **NL** (FR) 3 Fd 30
Snellegem **B** (W-V) 16 Da 41
Snelrewaard **NL** (U) 11 Ef 36
Snijders-Chaam **NL** (N-B) 11 Ef 39
Snikzwaag **NL** (FR) 3 Fe 31
Soerendonk **NL** (N-B) 19 Fd 41
Soest **NL** (U) 7 Fb 35
Soestdijk **NL** (U) 7 Fb 35
Soestduinen **NL** (U) 7 Fb 36
Soesterberg **NL** (U) 7 Fb 36
Soetebeek **B** (LIM) 19 Fd 42
Soeterbeek **NL** (L) 13 Ga 40
Soheit-Tinlot **B** (LIE) 25 Fc 46
Sohier **B** (LU) 25 Fa 48
Soignies **B** (H) 24 Ea 45
Soiron **B** (LIE) 26 Fe 45
Soleuvre **L** (LUX) 31 Ff 51
Solières **B** (LIE) 25 Fb 46
Solre-Saint-Géry **B** (H) 24 Eb 47
Solre-sur-Sambre **B** (H) 24 Ea 47
Solwaster **B** (LIE) 26 Ff 45
Somagne **B** (LIE) 26 Ff 46
Somal **B** (N) 25 Fb 47
Sombreffe **B** (N) 24 Ed 45
Someren **NL** (N-B) 12 Fe 40
Someren-Eind **NL** (N-B) 12 Fe 40
Someren-Heide **NL** (N-B) 12 Fe 40
Somme-Leuze **B** (N) 25 Fc 46
Sommelsdijk **NL** (Z-H) 10 Eb 38
Sommerain **B** (LU) 26 Fe 47
Sommethonne **B** (LU) 31 Fc 51
Sommière **B** (N) 24 Ef 47
Somzée **B** (N) 24 Ec 47
Sondel **NL** (FR) 3 Fd 31
Son en Breugel **NL** (N-B) 12 Fd 39
Sonnega **NL** (FR) 4 Ff 31
Sonnis **B** (LIM) 19 Fc 42
Sorée **B** (N) 25 Fa 46
Sorinnes **B** (N) 25 Ef 47
Sosoye **B** (N) 24 Ee 47
Sougné **B** (LIE) 26 Fe 46
Soulme **B** (N) 24 Ee 47
Soumagne **B** (LIE) 20 Fe 45
Soumoy **B** (N) 24 Ec 47
Sourbrodt **B** (LIE) 26 Ga 46
Souveraine, Jodoigne- **B** (BR) 18 Ef 44
Souvret **B** (H) 24 Ec 46
Sovet **B** (N) 25 Fa 47
Soy **B** (LU) 25 Fd 47
Soye **B** (N) 24 Ee 46
Spa **B** (LIE) 26 Ff 45
Spaarndam **NL** (N-H) 6 Ee 34
Spaarnwoude, Haarlemmerliede en **NL** (N-H) 6 Ee 34
Spakenburg **NL** (U) 7 Fc 35
Spalbeek **B** (LIM) 19 Fb 43
Spanbroek **NL** (N-H) 7 Ef 32
Spankeren **NL** (GLD) 8 Ga 36
Spannenburg **NL** (FR) 3 Fe 31
Spannum **NL** (FR) 3 Fd 30
Sparjebird **NL** (FR) 4 Ga 30
Spaubeek **NL** (L) 20 Ff 43
Spekholzerheide **NL** (L) 20 Ga 43
Speuld **NL** (GLD) 7 Fe 35
Spiennes **B** (H) 23 Df 46
Spier **NL** (DR) 4 Gc 32
Spierdijk **NL** (N-H) 7 Ef 33
Spiere-Helkijn = Espierres-Helchin **B** (W-V) 17 Dc 44
Spijk **NL** (GLD) 11 Fa 37
Spijk **NL** (GRO) 5 Gf 28
Spijk **NL** (Z-H) 13 Gb 37
Spijkenisse **NL** (Z-H) 10 Ec 37
Spijkerboor **NL** (N-H) 6 Ef 33
Spixhe **B** (LIE) 26 Ff 45
Spontin **B** (N) 25 Fa 47
Spoolde **NL** (O) 8 Ga 33
Spoorbuurt **NL** (N-H) 2 Ef 31
Spoordonk **NL** (N-B) 12 Fb 39
Sprang-Capelle **NL** (N-B) 11 Fa 38
Sprangsevaart **NL** (N-B) 11 Fa 38
Spriete **B** (W-V) 17 Dc 43
Sprimont **B** (LIE) 25 Fe 45
Sprimont **B** (LU) 25 Fd 48
Sprundel **NL** (N-B) 11 Ed 39
Spui **NL** (Z) 17 Df 41
Spurk **B** (LIM) 19 Fd 43
Spy **B** (N) 24 Ee 46
Stabroek **B** (A) 18 Ec 41
Stad aan 't Harvingvliet **NL** (Z-H) 10 Eb 38
Stad Delden **NL** (O) 9 Ge 35
Staden **B** (W-V) 16 Da 43
Stadenberg **B** (W-V) 16 Da 43
Stadenreke **B** (W-V) 16 Cf 43
Stadskanaal **NL** (GRO) 5 Gf 31
Stadtbredimus **L** (GRE) 32 Gc 51
Stakenborg **NL** (GRO) 5 Hb 30
Stal **B** (LIM) 19 Fb 42
Stalhille **B** (W-V) 16 Da 41
Stalken **B** (LIM) 19 Fd 43
Stambruges **B** (H) 23 De 45
Stampersgat **NL** (N-B) 11 Ec 39
Standdaarbuiten **NL** (N-B) 11 Ed 39
Stapel, De **NL** (DR) 8 Gc 32
Staphorst **NL** (O) 8 Gb 33
Star **B** (O-V) 18 Ea 42
Stasegem **B** (W-V) 16 Db 44
Station-de-Clavier **B** (LIE) 25 Fb 46
Stationsbuurt **NL** (Z) 10 Eb 40
Stave **B** (N) 24 Ed 47
Stavele **B** (W-V) 16 Ce 43
Stavelot **B** (LIE) 26 Ff 46
Stavenisse **NL** (Z) 10 Ea 39
Stavoren **NL** (FR) 3 Fc 31
Stede Broec **NL** (N-H) 7 Fb 32
Stedum **NL** (GRO) 5 Ge 29
Steeg **NL** (L) 13 Ga 40
Steeg, De **NL** (GLD) 8 Ga 36
Steenberg **B** (O-V) 17 De 44
Steenbergen **NL** (DR) 4 Gc 30
Steenbergen **NL** (N-B) 10 Ec 39
Steenbrugge **B** (W-V) 17 Db 41
Steendam **NL** (GRO) 5 Gf 29
Steenderen **NL** (GLD) 8 Gb 36
Steendorp **B** (O-V) 18 Eb 42
Steenenkamer **NL** (GLD) 7 Fd 35
Steenhuffel **B** (BR) 18 Eb 42
Steenhuize-Wijnhuize **B** (O-V) 17 Df 43
Steenkerke **B** (W-V) 16 Ce 42
Steenkerque **B** (H) 18 Ea 45
Steenokkerzeel **B** (BR) 18 Ed 43
Steenplaats **NL** (Z-H) 11 Ed 38
Steensel **NL** (N-B) 12 Fc 40
Steenweg **NL** (N-B) 12 Fc 39
Steenwijk **NL** (O) 4 Ga 32
Steenwijkerwold **NL** (O) 4 Ga 32
Steenwijksmoer **NL** (DR) 9 Ge 32
Steffeshausen **B** (LIE) 26 Gb 47
Stegen **L** (D) 26 Gb 49
Stegerveld **NL** (O) 8 Gd 33
Steggerda **NL** (FR) 4 Ga 31
Stehoux **B** (BR) 18 Eb 44
Stein **NL** (L) 20 Fe 43
Steinbach **B** (LU) 26 Ff 48
Steinfort **L** (LUX) 31 Ff 51
Steinheim **L** (GRE) 32 Gc 50
Steinsel **L** (LUX) 32 Ga 50
Stekene **B** (O-V) 17 Ea 41
Stelen **B** (A) 19 Ef 42
Stellendam **NL** (Z-H) 10 Ea 38
Stembert **B** (LIE) 26 Ff 45
Stene **B** (W-V) 16 Cf 41
Ster **B** (LIE) 26 Ff 46
Ster **B** (LIE) 26 Ff 46
Sterhoek **B** (W-V) 17 Db 44
Sterhoek **B** (W-V) 17 Dc 44
Sterksel **NL** (N-B) 12 Fd 40
Sternhoven **B** (A) 18 Ed 40
Sterpenich **B** (LU) 31 Ff 51
Sterpigny **B** (LU) 26 Ff 47
Sterrebeek **B** (BR) 18 Ed 43
Stevensbeek **NL** (N-B) 12 Ff 39
Stevensweert **NL** (L) 20 Ff 42
Stevoort **B** (LIM) 19 Fb 43
Stiens **NL** (FR) 3 Fe 29
Stiphout **NL** (N-B) 12 Fd 40
Stitswerd **NL** (GRO) 4 Gd 28
Stockay **B** (LIE) 25 Fc 45
Stockem **B** (LU) 31 Fe 50
Stockem **L** (D) 26 Ff 48
Stocq **B** (H) 17 De 44
Stok **B** (BR) 19 Fa 43
Stokerij **B** (W-V) 16 Db 43
Stokhorst **NL** (O) 9 Gf 35
Stokkem **B** (LIM) 20 Fe 42
Stokkum **NL** (GLD) 13 Gb 37
Stokkum **NL** (O) 8 Gd 35
Stokrooie **B** (LIM) 19 Fb 43
Stolpen **NL** (N-H) 2 Ee 32
Stolwijk **NL** (Z-H) 11 Ee 37
Stolwijkersluis **NL** (Z-H) 11 Ee 36
Stompetoren **NL** (N-H) 6 Ee 33
Stompwijk **NL** (Z-H) 6 Ec 36
Stoquoi **B** (H) 17 Df 44
Stougjesdijk **NL** (Z-H) 11 Ec 38
Stoutenburg **NL** (U) 7 Fc 36
Straimont **B** (LU) 31 Fc 50
Strainchamps **B** (LU) 31 Fe 49
Stramproy **NL** (L) 20 Fe 41
Strassen **L** (LUX) 32 Ga 51
Strée **B** (H) 24 Eb 47
Strée **B** (LIE) 25 Fd 45
Streefkerk **NL** (Z-H) 11 Ee 37
Strepy-Bracquegnies **B** (H) 24 Ea 46
Streukel **NL** (O) 8 Ga 33
Strijbeek **NL** (N-B) 11 Ee 39
Strijen **NL** (Z-H) 11 Ed 38
Strijenham **NL** (Z) 10 Eb 39
Strijensas **NL** (Z-H) 11 Ed 38
Strijp **NL** (N-B) 12 Fc 40
Strijp **NL** (N-B) 12 Fd 39
Strijpen **B** (O-V) 17 De 43
Strijtem **B** (BR) 18 Ea 43
Strivay **B** (LIE) 25 Fd 45
Stroe **NL** (GLD) 7 Fe 35
Stroe **NL** (N-H) 3 Ef 31
Stroet **NL** (N-H) 6 Ee 32
Stroobos **NL** (GRO) 4 Gb 29
Stroodorp **NL** (Z) 10 De 39
Strooiboomhoek **B** (W-V) 16 Da 43
Strooienhaan **B** (W-V) 16 Da 41
Strud **B** (N) 25 Fa 46
Stuifzand **NL** (DR) 4 Gd 32
Stuivekenskerke **B** (W-V) 16 Ce 42
Stupbach **B** (LIE) 26 Ga 47
Suameer = Sumar **NL** (FR) 4 Ff 29
Suarlée **B** (N) 24 Ee 46
Suawoude = Suwald **NL** (FR) 4 Ff 29
Sugny **B** (N) 30 Ef 50
Sumar **NL** (FR) 4 Ff 29
Sure **B** (LU) 31 Fd 49
Surhuisterveen **NL** (FR) 4 Ga 29
Surhuizum **NL** (FR) 4 Gb 29
Surice **B** (N) 24 Ee 47
Surister **B** (LIE) 26 Ff 45
Surlemez **B** (N) 25 Fa 45
Sur-les-Bois **B** (LIE) 25 Fc 45
Surré **L** (D) 31 Fe 49
Susteren **NL** (L) 20 Ff 42
Suwald **NL** (FR) 4 Ff 29
Suxy **B** (LU) 31 Fc 50
Swalmen **NL** (L) 20 Ga 41
Swartbroek **NL** (L) 20 Fe 41
Sweikhuizen **NL** (L) 20 Ff 43
Swifterbant **NL** (F) 7 Fd 33

's-Gravendeel – Swifterbant (B) (NL) (L) **47**

Swijk **B** (LIM) 20 Fe 42
Swolgen **NL** (L) 13 Ga 39
Syren **L** (LUX) 32 Gb 51

T

Taarlo **NL** (DR) 4 Gd 30
Tahier **B** (N) 25 Fb 46
Taintignies **B** (H) 23 Dc 45
Tamines **B** (N) 24 Ed 46
Tandel **L** (D) 32 Gb 49
Tange **NL** (GRO) 5 Ha 30
Tangissart **B** (BR) 24 Ed 45
Tarchamps **L** (D) 26 Fe 49
Tarcienne **B** (N) 24 Ec 47
Targnon **B** (LIE) 26 Fe 46
Tasse **B** (W-V) 16 Db 43
Taverneux **B** (LU) 26 Fe 48
Tavier **B** (LIE) 25 Fc 45
Taviers **B** (N) 25 Ef 45
Taviet **B** (N) 25 Fa 47
Tavigny **B** (LU) 26 Ff 48
Teeffelen **NL** (N-B) 12 Fd 38
Tegelen **NL** (L) 13 Ga 40
't Eind **NL** (N-B) 12 Fb 39
Tellin **B** (LU) 25 Fb 48
Tempel **NL** (Z-H) 6 Ee 36
Templeuve **B** (H) 16 Db 45
Temploux **B** (N) 24 Ee 46
Temse **B** (O-V) 18 Eb 42
Ten Arlo **NL** (DR) 8 Gc 32
Ten Boer **NL** (GRO) 5 Ge 29
Tenbrielen **B** (H) 16 Da 44
Tenderlo **B** (A) 19 Fb 41
Tenneville **B** (LU) 25 Fd 48
Ten Post **NL** (GRO) 5 Ge 29
Ten Putte **B** (W-V) 16 Cf 42
Ter Aar **NL** (Z-H) 6 Ee 36
Ter Aard **NL** (DR) 4 Gd 30
Teralfene **B** (BR) 18 Ea 43
Ter Apel **NL** (GRO) 5 Ha 31
Ter Apelkanaal **NL** (GRO) 5 Ha 31
Terbeek **B** (A) 11 Ee 40
Terborg **NL** (GLD) 13 Gc 37
Terbregge **NL** (Z-H) 11 Ed 37
Terdonk **B** (O-V) 17 De 42
Tereiken **B** (LIM) 19 Fb 43
Terhagen **B** (A) 18 Ec 42
Terhand **B** (W-V) 16 Da 43
Terheijden **NL** (N-B) 11 Ee 39
Terherne **NL** (FR) 3 Fe 30
Terhofstede **NL** (Z) 17 Dc 40
Ter Hole **NL** (Z) 10 Ea 40
Terhorne = Terherne **NL** (FR) 3 Fe 30
Ter Idzard **NL** (FR) 4 Ga 31
Terjoden **B** (O-V) 17 Ea 43
Terkaple **NL** (FR) 3 Fe 30
Terlanen **B** (BR) 18 Ed 44
Terlet **NL** (GLD) 8 Ff 36
Terlo **B** (A) 19 Fa 41
Termes **B** (LU) 31 Fc 50
Termunten **NL** (GRO) 5 Ha 29
Termunterzijl **NL** (GRO) 5 Ha 29
Ternaard **NL** (FR) 4 Ff 28
Ternat **B** (BR) 18 Eb 43
Ternell **B** (LIE) 26 Ga 45
Terneuzen **NL** (Z) 17 Df 41
Terover **NL** (N-B) 11 Fa 40
Terrest **B** (W-V) 16 Cf 43
Terschelling **NL** (FR) 3 Fc 28
Terschuur **NL** (GLD) 7 Fd 35
Tertre **B** (H) 23 De 46
Tervant **B** (LIM) 19 Fb 42
Tervuren **B** (BR) 18 Ed 44
Terwagne **B** (LIE) 25 Fc 46
Terwarent **B** (O-V) 17 Ea 43
Terwest **B** (O-V) 17 Df 41
Terwinselen **NL** (L) 20 Ga 43
Ter Wisch **NL** (GRO) 5 Ha 31
Terwispel **NL** (FR) 4 Ga 30
Terwolde **NL** (GLD) 8 Ga 35
Terzool = Tersoal **NL** (FR) 3 Fe 30
Tessenderlo **B** (LIM) 19 Fa 42
Testelt **B** (BR) 19 Ef 42
Tétange **L** (LUX) 32 Ga 51
Tétange **L** (LUX) 32 Ga 52
Teteringen **NL** (N-B) 11 Ef 39
Teuge **NL** (GLD) 8 Ga 35
Teuven **B** (LIM) 20 Ff 44
Texel **NL** (N-H) 2 Ee 30
't Goy **NL** (U) 12 Fb 36
't Haantje **B** (W-V) 17 Dc 43
't Haantje **NL** (DR) 9 Gf 32
't Harde **NL** (GLD) 8 Ff 34
't-Hasselt **B** (LIM) 19 Fe 42
Thesinge **NL** (GRO) 4 Ge 29
Theux **B** (LIE) 26 Ff 45
Thiaumont **B** (LU) 31 Fe 50
Thibésart **B** (LU) 31 Fd 50
Thieu **B** (H) 24 Ea 46
Thieulain **B** (H) 23 Dd 45
Thieusies **B** (H) 24 Ea 45
Thiméon **B** (H) 24 Ec 46
Thimister-Clermont **B** (LIE) 20 Ff 44
Thimougies **B** (H) 17 Dd 45
Thines **B** (BR) 24 Ec 45
Thirimont **B** (H) 24 Eb 47
Thisnes **B** (LIE) 19 Fa 44
Tholen **NL** (Z) 10 Eb 39
Thommen **B** (LIE) 26 Ga 47
Thon **B** (N) 25 Fa 46
Thorembais-les-Béguines **B** (BR) 18 Ef 45
Thorembais-Saint-Trond **B** (BR) 18 Ee 45
Thoricourt **B** (H) 23 Df 45
Thorn **NL** (L) 20 Ff 41
't Horntje **NL** (N-H) 2 Ee 30
Thuillies **B** (H) 24 Ec 47
Thuin **B** (H) 24 Eb 46
Thulin **B** (H) 23 De 46
Thumaide **B** (H) 23 Dd 45
Thy, Baisy- **B** (BR) 24 Ec 45
Thy-le-Bauduin **B** (N) 24 Ed 47
Thy-le-Château **B** (N) 24 Ec 47
Thynes **B** (N) 25 Ef 47
Tiège **B** (LIE) 26 Ff 45
Tiegem **B** (W-V) 17 Dc 44
Tiegemberg **B** (W-V) 17 Dc 44
Tiel **NL** (GLD) 12 Fc 37
Tielen **B** (A) 19 Ef 41
Tielrode **B** (O-V) 18 Eb 42
Tielt **B** (BR) 19 Ef 43
Tielt **B** (W-V) 17 Dc 43
Tielt-Winge **B** (BR) 19 Ef 43
Tiendeveen **NL** (DR) 4 Gd 32
Tienen = Tirlemont **B** (BR) 19 Ef 44
Tiengemeten **NL** (Z-H) 11 Ec 38
Tienhoven **NL** (U) 7 Fa 35
Tienhoven **NL** (Z-H) 11 Ef 37
Tienray **NL** (L) 13 Ga 39
Tietjerk = Tytsjerk **NL** (FR) 4 Ff 29
Tiewinkel **B** (LIM) 19 Fb 43
Tihange **B** (LIE) 25 Fb 45
Tijnje **NL** (FR) 4 Ff 30
Tike, De **NL** (FR) 4 Ga 30
Tilburg **NL** (N-B) 11 Fa 39
Tildonk **B** (BR) 18 Ed 43
Tilff **B** (LIE) 25 Fd 45
Tillet **B** (LU) 25 Fd 48
Tilleul, le - **B** (H) 24 Ec 46
Tilleul, Le - **B** (N) 25 Ef 48
Tilleur **B** (LIE) 19 Fd 45
Tillier **B** (N) 25 Ef 45
Tilligte **NL** (O) 9 Gf 34
Tilly **B** (H) 24 Ed 45
Tinlot **B** (LIE) 25 Fc 46
Tintange **B** (LU) 31 Fe 49
Tinte **NL** (Z-H) 10 Ea 37
Tintigny **B** (LU) 31 Fd 50
Tirimont **B** (LIE) 26 Ga 46
Tirns **NL** (FR) 3 Fd 30
Tisselt **B** (A) 18 Ec 42
Tjerkgaast **NL** (FR) 3 Fe 31
Tjerkwerd **NL** (FR) 3 Fd 30
't Kruis **NL** (N-H) 6 Ef 33
't Lage van de Weg **NL** (GRO) 5 Ge 28
't Loo **NL** (GLD) 8 Ff 34
't Moge **B** (W-V) 17 Dc 43
Toernich **B** (LU) 31 Fe 51
Tohogne **B** (LU) 25 Fc 46
Tol, Exel- **NL** (GLD) 8 Gc 35
Tolbert **NL** (GRO) 4 Gc 29
Toldijk **NL** (GLD) 8 Gb 36
Tolkamer **NL** (GLD) 13 Ga 37
Tollebeek **NL** (O) 7 Fe 32
Tollembeek **B** (BR) 17 Ea 44
Tombeek **B** (BR) 18 Ed 44
Tombroek **B** (W-V) 16 Db 44
Tongelre **NL** (N-B) 12 Fd 40
Tongeren **B** (LIM) 19 Fc 44
Tongeren **NL** (GLD) 8 Ff 34
Tongerlo **B** (A) 19 Ef 42
Tongerlo **B** (LIM) 19 Fe 42
Tongre-Notre-Dame **B** (H) 23 De 45
Tongrinne **B** (N) 24 Ed 45
Tonny **B** (LU) 25 Fd 48
Tonsel **NL** (GLD) 7 Fd 35
Tontelange **B** (LU) 31 Fe 50
Torgny **B** (LU) 31 Fc 51
Torhout **B** (W-V) 16 Da 42
Tourinne **B** (LIE) 19 Fb 45
Tourinnes **B** (BR) 18 Ee 45
Tourinnes-la-Grosse **B** (BR) 18 Ee 44
Tournai **B** (H) 23 Dc 45
Tournay **B** (LU) 31 Fc 49
Tourpes **B** (H) 23 Dd 45
Tragel **NL** (Z) 17 Dd 40
Traimont **B** (LU) 31 Fd 49
Transinne **B** (LU) 25 Fb 49
Traulée **B** (H) 24 Ec 45
Trazegnies **B** (H) 24 Ec 46
Treebeek **NL** (L) 20 Ff 43
Treignes **B** (N) 24 Ed 48
Tremelo **B** (BR) 18 Ee 42
Trés-Fontaine **B** (LU) 25 Fd 48
Tribouriau **B** (H) 17 Df 44
Tricht **NL** (GLD) 12 Fb 37
Triest **B** (O-V) 17 De 41
Trieu-Bouchaux **B** (H) 24 Eb 48
Trieu-d'Avillon **B** (N) 25 Ef 46
Trintange **L** (GRE) 32 Gb 51
Trivières **B** (H) 24 Ea 46
Trognée **B** (LIE) 19 Fa 44
Troine **L** (D) 26 Ff 48
Troine-Route **L** (D) 26 Ff 48
Trois-Ponts **B** (LIE) 26 Ff 46
Troisvierges **L** (D) 26 Ga 48
Tronquoy **B** (LU) 31 Fc 49
Trooz **B** (LIE) 26 Fe 45
Trou-de-Bra **B** (LIE) 26 Fe 46
Try-d'Haies **B** (H) 24 Ec 46
Tubbergen **NL** (O) 9 Ge 34
Tubize **B** (BR) 18 Eb 44
Tuil **NL** (GLD) 12 Fb 38
Tuindorp Oostzaan **NL** (N-H) 6 Ef 34
Tuitenberg **B** (BR) 18 Ea 44
Tuk **NL** (O) 8 Ga 32
Tull en 't Waal **NL** (U) 11 Fa 36
Tungelroij **NL** (L) 20 Fe 41
Tuntange **L** (LUX) 32 Ga 50
Turkeye **NL** (Z) 17 Dd 41
Turkijen **B** (O-V) 17 Dd 44
Turnhout **B** (A) 19 Ef 41
Turnhout, Oud- **B** (A) 19 Fa 41
Turpange **B** (LU) 31 Fe 51
Tutegem **B** (O-V) 17 Dd 43
Tweede Exloërmond **NL** (DR) 5 Gf 31
Tweede Tol **NL** (Z-H) 11 Ed 38
Twekkelo **NL** (O) 9 Gf 35
Twello **NL** (GLD) 8 Ga 35
Twijzel **NL** (FR) 4 Ga 29
Twijzelerheide **NL** (FR) 4 Ga 29
Twisk **NL** (N-H) 7 Fa 32
't Woudt **NL** (Z-H) 10 Eb 37
Tynaarlo **NL** (DR) 4 Gd 30
Tytsjerk **NL** (FR) 4 Ff 29
Tytsjerksteradiel **NL** (FR) 4 Ff 29
't Zand **NL** (N-H) 2 Ee 31
't Zandt **NL** (GRO) 5 Ge 28
Tzum **NL** (FR) 3 Fd 30
Tzummarum **NL** (FR) 3 Fd 29

U

Ubach over Worms **NL** (L) 20 Ga 43
Ubachsberg **NL** (L) 20 Ff 43
Ubbergen **NL** (GLD) 12 Ff 37
Uccle = Ukkel **B** (BR) 18 Ec 44
Ucimont **B** (LU) 30 Fa 49
Udange **B** (LU) 31 Fe 51
Uddel **NL** (GLD) 8 Fe 35
Uden **NL** (N-B) 12 Fd 38
Udenhout **NL** (N-B) 11 Fa 39
Uebersyren **L** (LUX) 32 Gb 51
Uffelte **NL** (DR) 4 Gb 32
Ugchelen **NL** (GLD) 8 Ff 35
Uikhoven **B** (LIM) 20 Fe 43
Uitbergen **B** (O-V) 17 Df 42
Uitdam **NL** (N-H) 7 Fa 34
Uiterburen **NL** (GRO) 5 Gf 29
Uitgeest **NL** (N-H) 6 Ee 33
Uithoorn **NL** (N-H) 6 Ef 35
Uithuizen **NL** (GRO) 5 Ge 28
Uithuizermeeden **NL** (GRO) 5 Ge 28
Uitkerke **B** (W-V) 16 Da 41
Uitweg **NL** (U) 11 Fa 37
Uitwellingerga **NL** (FR) 4 Fe 30
Uitwijk **NL** (N-B) 11 Fa 38
Ukkel = Uccle **B** (BR) 18 Ec 44
Ulbeek **B** (LIM) 19 Fb 43
Ulestraten **NL** (L) 20 Fe 43
Ulft **NL** (GLD) 13 Gc 37
Ulicoten **NL** (N-B) 11 Ef 40
Ulrum **NL** (GRO) 4 Gc 28
Ulvenhout **NL** (N-B) 11 Ee 39
Untereisenbach **L** (D) 26 Ga 48
Upigny **B** (N) 25 Ef 45
Ureterp **NL** (FR) 4 Ga 30
Ureterp aan de Vaart **NL** (FR) 4 Gb 30
Urk **NL** (O) 7 Fd 32
Urmond **NL** (L) 20 Fe 42
Ursel **B** (O-V) 17 Dc 42
Ursem **NL** (N-H) 6 Ef 33
Urspelt **L** (D) 26 Ga 48
Useldange **L** (D) 32 Ff 50
Usquert **NL** (GRO) 4 Gd 28
Usselo **NL** (O) 9 Gf 35
Utrecht **NL** (U) 7 Fa 36

V

Vaalbeek **B** (BR) 18 Ee 44
Vaals **NL** (L) 20 Ga 44
Vaardeburen **NL** (FR) 4 Ff 28
Vaassen **NL** (GLD) 8 Ff 35
Vacheresse **B** (LIE) 25 Fb 45
Vacresse **B** (H) 23 Df 45
Vaesrade **NL** (L) 20 Ff 43
Vaken **B** (BR) 18 Ee 43
Val, Le - **B** (BR) 18 Ee 44
Val **NL** (Z) 17 Df 40
Valansart **B** (LU) 31 Fc 50
Valburg **NL** (GLD) 12 Fe 37
Valender **B** (LIE) 26 Gb 46
Valkenburg **NL** (Z-H) 6 Ec 35
Valkenburg aan de Geul **NL** (L) 20 Ff 43
Valkenheide **NL** (U) 12 Fc 36
Valkenisse **NL** (Z) 10 Dd 40
Valkenswaard **NL** (N-B) 12 Fc 40
Valkkoog **NL** (N-H) 2 Ee 32
Vallée, La - **B** (N) 25 Ef 45
Val-Meer **B** (LIM) 19 Fd 44
Valom **NL** (GRO) 5 Ge 28
Valom, De **NL** (FR) 4 Ga 29
Valthe **NL** (DR) 5 Gf 31
Valthermond **NL** (DR) 5 Gf 31
Vance **B** (LU) 31 Fd 50
Van Ewijcksluis **NL** (N-H) 2 Ef 31
Varik **NL** (GLD) 12 Fc 38
Varsen **NL** (O) 8 Gc 33
Varsenare **B** (W-V) 16 Da 41
Varsselder **NL** (GLD) 13 Gc 37
Varsseveld **NL** (GLD) 13 Gc 37
Vasse **NL** (O) 9 Gf 34
Vaucelles **B** (N) 24 Ee 48
Vaulx **B** (H) 23 Dc 45
Vaulx **B** (H) 24 Ec 48
Vaux **B** (LIE) 25 Fb 45
Vaux **B** (LU) 26 Fe 48
Vaux-Chavanne **B** (LU) 26 Fe 47
Vaux-sur-Sûre **B** (LU) 31 Fd 49
Vechmaal **B** (LIM) 19 Fc 44
Vecmont **B** (LU) 25 Fd 48
Vedrin **B** (N) 25 Ef 45
Veecaten **NL** (O) 8 Ga 33
Veele **NL** (GRO) 5 Ha 30
Veelerveen **NL** (GRO) 5 Ha 30
Veen **NL** (N-B) 11 Fa 38
Veendam **NL** (GRO) 5 Gf 30
Veendijk **NL** (DR) 4 Gb 32
Veenendaal **NL** (U) 12 Fd 36
Veenhuizen **NL** (DR) 4 Gc 30
Veenhuizen **NL** (GRO) 5 Ha 30
Veeningen **NL** (DR) 8 Gc 32
Veenklooster **NL** (FR) 4 Ga 29
Veenoord **NL** (DR) 9 Gf 32
Veenwouden **NL** (FR) 4 Ff 29
Veere **NL** (Z) 10 De 39
Veerle **B** (A) 19 Fa 42
Veessen **NL** (GLD) 8 Ga 34
Vegelinsoord **NL** (FR) 4 Ff 30
Veghel **NL** (N-B) 12 Fd 39
Velaine **B** (H) 24 Ed 46
Velaine **B** (H) 24 Ed 46
Velaines **B** (H) 17 Dc 44
Veld **B** (W-V) 16 Db 43
Velddriel **NL** (GLD) 12 Fb 38
Velde, Den **NL** (O) 9 Ge 33
Veldegem **B** (W-V) 16 Da 42
Veldeken **B** (O-V) 17 Ea 42
Velden **NL** (L) 13 Gb 40
Velden, Arcen en **NL** (L) 13 Gb 40
Veldhoek **B** (W-V) 16 Cf 43
Veldhoek **B** (W-V) 16 Db 42
Veldhoek **B** (W-V) 17 Dc 41
Veldhoek **NL** (GLD) 8 Gc 36
Veldhoven **NL** (N-B) 12 Fc 40
Veldhuis, Vlagtwedder- **NL** (GRO) 5 Ha 30
Veldstraat **B** (O-V) 17 Df 43
Veldwezelt **B** (LIM) 19 Fe 43
Vellereille-les-Brayeux **B** (H) 24 Ea 46
Vellereille-le-Sec **B** (H) 23 Ea 46
Vellereux **B** (LU) 26 Fe 48
Velm **B** (LIM) 19 Fa 44
Velp **NL** (GLD) 12 Ff 36
Velp **NL** (N-B) 12 Fe 38
Velpen **B** (LIM) 19 Fa 43
Velroux **B** (LIE) 19 Fc 45
Velsen-Noord **NL** (N-H) 6 Ed 34
Velsen-Zuid **NL** (N-H) 6 Ed 34
Velswijk **NL** (GLD) 13 Gb 36
Veltem-Beisem **B** (BR) 18 Ed 43
Veltum **NL** (L) 12 Ff 39
Velvain, Wez- **B** (H) 23 Dc 45
Velzeke-Ruddershove **B** (O-V) 17 De 43
Ven, Het **NL** (L) 13 Gb 40
Vencimont **B** (N) 25 Ef 48
Venhorst **NL** (N-B) 12 Fe 39
Venhuizen **NL** (N-H) 7 Fb 32
Venlo **NL** (L) 13 Gb 40
Venray **NL** (L) 12 Ff 39
Ven-Zelderheide **NL** (L) 13 Ga 38
Verbrande Brug **B** (BR) 18 Ec 43
Verbranden-Molen **B** (W-V) 16 Cf 44
Verdenne **B** (LU) 25 Fc 47
Vergnies **B** (H) 24 Eb 47
Verlaat **NL** (N-H) 6 Ef 32
Verlaine **B** (LIE) 25 Fc 45
Verlaine **B** (LU) 25 Fd 46
Verlaine **B** (LU) 31 Fc 49
Verlée **B** (N) 25 Fb 46
Verleumont **B** (LIE) 26 Fe 47
Verre **B** (N) 25 Fa 47
Verrebroek **B** (O-V) 18 Eb 41
Vertrijk **B** (BR) 18 Ef 44
Verviers **B** (LIE) 26 Ff 45
Vesqueville **B** (LU) 25 Fc 48
Vessem **NL** (N-B) 12 Fb 40
Veulen **NL** (L) 12 Ff 40
Veurne **B** (W-V) 16 Ce 42
Vezin **B** (N) 25 Fa 45
Vezon **B** (H) 23 Dd 45
Vianden **L** (D) 26 Gb 49
Viane **B** (O-V) 17 Df 44
Vianen **NL** (N-B) 12 Ff 38
Vianen **NL** (Z-H) 11 Fa 37
Vichte **B** (W-V) 17 Dc 43
Vichten **L** (D) 31 Ff 50
Vieille-Maison **B** (N) 24 Ed 45
Vielsalm **B** (LU) 26 Ff 47
Viemme **B** (LIE) 19 Fb 45
Vien **B** (LIE) 25 Fd 46
Vierakker **NL** (GLD) 8 Gb 36
Vierbannen **NL** (N-B) 11 Ef 38
Vierhouten **NL** (GLD) 8 Ff 34
Vierhuizen **NL** (GRO) 4 Gb 28
Vierlingsbeek **NL** (N-B) 13 Ga 39
Vierpolders **NL** (Z-H) 10 Eb 37
Viersel **B** (A) 18 Ee 41
Vierset-Barse **B** (LIE) 25 Fb 46
Vierstraat **B** (W-V) 16 Cf 44
Vierstraten **B** (BR) 18 Ed 43
Vierves **B** (N) 24 Ed 48
Viesville **B** (H) 24 Ec 46
Vieux-Campinaire **B** (H) 24 Ed 46
Vieux-Genappe **B** (BR) 24 Ec 45
Vieux-Leuze **B** (H) 23 Dd 45
Vieuxville **B** (LIE) 25 Fd 46
Vieux-Waleffe **B** (LIE) 19 Fb 45
Vijfhuizen **NL** (N-H) 6 Ee 34
Vijfwegen **B** (W-V) 16 Cf 43
Vijfwegen **B** (W-V) 16 Da 41
Vijfwegen **B** (W-V) 16 Da 43
Vijfwegen **B** (W-V) 16 Da 43
Vijlen **NL** (L) 20 Ff 44
Vijve, Sint-Baafs- **B** (W-V) 17 Dc 43
Vijve, Sint-Eloois- **B** (W-V) 17 Dc 43
Vijve-Kapelle **B** (W-V) 17 Db 41
Villance **B** (LU) 25 Fb 49
Ville **B** (LIE) 25 Fd 46
Ville-du-Bois **B** (LU) 26 Ff 47
Ville-en-Hesbaye **B** (LIE) 25 Fa 45
Ville-Pommerœul **B** (H) 23 De 46
Villerot **B** (H) 23 De 46
Villeroux **B** (BR) 24 Ed 45
Villeroux **B** (LU) 25 Fd 49
Villers, Les Bons **B** (H) 24 Ec 45
Villers-aux-Tours **B** (LIE) 25 Fd 45
Villers-Deux-Églises **B** (N) 24 Ec 47
Villers-devant-Orval **B** (LU) 31 Fb 51
Villers-en-Fagne **B** (N) 24 Ed 48
Villers-la-Bonne-Eau **B** (LU) 26 Fe 49
Villers-la-Loue **B** (LU) 31 Fc 51
Villers-la-Tour **B** (H) 24 Eb 48
Villers-la-Ville **B** (BR) 24 Ed 45
Villers-le-Bouillet **B** (LIE) 25 Fb 45
Villers-le-Gambon **B** (N) 24 Ed 47
Villers-le-Peuplier **B** (LIE) 19 Fa 45
Villers-le-Temple **B** (LIE) 25 Fd 45
Villers-l'Evêque **B** (LIE) 19 Fc 44
Villers-lez-Heest **B** (N) 25 Ef 45
Villers-Perwin **B** (H) 24 Ec 45
Villers-Poterie **B** (H) 24 Ed 46
Villers-Saint-Amand **B** (H) 23 De 45
Villers Sainte Gertrude **B** (LU) 25 Fd 46
Villers-Saint-Ghislain **B** (H) 23 Ea 46
Villers-Saint-Siméon **B** (LIE) 19 Fd 44
Villers-sur-Lesse **B** (N) 25 Fa 48
Villers-sur-Semois **B** (LU) 31 Fd 50
Ville-sur-Haine **B** (H) 24 Ea 46
Villettes **B** (LIE) 26 Fe 46
Vilsteren **NL** (O) 8 Gc 33
Vilvoorde **B** (BR) 18 Ec 43
Vinalmont **B** (LIE) 25 Fb 45
Vinderhoute **B** (O-V) 17 Dd 42
Vinkega **NL** (FR) 4 Ga 31

48 (B) (NL) (L) **Swijk – Vinkega**

Vinkel **NL** (N-B) 12 Fc 38
Vinkenbuurt **NL** (O) 8 Gc 33
Vinkeveen **NL** (U) 6 Ef 35
Vinkhuizen **NL** (GRO) 4 Gd 29
Vinkt **B** (O-V) 17 Dc 42
Virelles **B** (H) 24 Eb 48
Virginal-Samme **B** (BR) 18 Eb 45
Viroinval **B** (N) 24 Ed 48
Virton **B** (LU) 31 Fd 51
Visbuurt **NL** (FR) 4 Ff 28
Visé **B** (LIE) 20 Fe 44
Vissenaken **B** (BR) 19 Ef 43
Vissoul **B** (LIE) 25 Fa 45
Vissoule **B** (LU) 26 Fe 48
Visvliet **NL** (GRO) 4 Gb 29
Vitrival **B** (N) 24 Ed 46
Viville **B** (LU) 31 Fe 50
Vivy **B** (LU) 30 Fa 49
Vlaardingen **NL** (Z-H) 10 Ec 37
Vladslo **B** (W-V) 16 Cf 42
Vlagtwedde **NL** (GRO) 5 Ha 30
Vlagtwedder-Veldhuis **NL** (GRO) 5 Ha 30
Vlake **NL** (Z) 10 Ea 40
Vlamertinge **B** (W-V) 16 Ce 43
Vlassenbroek **B** (O-V) 18 Ea 42
Vledder **NL** (DR) 4 Gb 31
Vledderhuizen **NL** (GRO) 5 Ha 30
Vledderveen **NL** (DR) 4 Gb 31
Vledderveen **NL** (GRO) 5 Ha 31
Vlekkem **B** (O-V) 17 Df 43
Vlessart **B** (LU) 31 Fd 50
Vleteren **B** (W-V) 16 Ce 43
Vleut **NL** (N-B) 12 Fc 39
Vleuten **NL** (U) 7 Fa 36
Vleuten-De Meern **NL** (U) 7 Fa 36
Vlezenbeek **B** (BR) 18 Ea 44
Vliegendpaard **B** (W-V) 16 Db 41
Vlieghuis **NL** (DR) 9 Gf 32
Vlieland **NL** (FR) 2 Ef 29
Vlierden **NL** (N-B) 12 Fe 40
Vliermaal **B** (LIM) 19 Fc 43
Vliermaalroot **B** (LIM) 19 Fc 43
Vlierzele **B** (O-V) 17 Df 43
Vlijmen **NL** (N-B) 12 Fb 38
Vlijtingen **B** (LIM) 19 Fd 43
Vlimmeren **B** (A) 18 Ee 41
Vlissegem **B** (W-V) 16 Da 41
Vlissingen **NL** (Z) 10 Dd 40
Vlist **NL** (Z-H) 11 Ee 37
Vlodrop **NL** (L) 20 Ga 42
Vloerzegem, Smeerebbe- **B** (O-V) 17 Df 44
Vlotbrug **NL** (Z-H) 10 Eb 37
Vodecée **B** (N) 24 Ed 47
Vodelée **B** (N) 24 Ee 47
Voeren, Sint-Martens- **B** (LIM) 20 Fe 44
Voerendaal **NL** (L) 20 Ff 43
Vogelenzang **NL** (N-H) 6 Ed 35
Vogelhoek **B** (O-V) 17 De 42
Vogelwaarde **NL** (Z) 17 Df 41
Vogelzang **B** (O-V) 17 De 43
Vogelzang **B** (O-V) 17 Ea 43
Vogenée **B** (N) 24 Ec 47
Volaiville **B** (LU) 31 Fd 49
Volendam **NL** (N-H) 7 Fa 34
Volendam, Edam en **NL** (N-H) 7 Fa 34
Volkel **NL** (N-B) 12 Fe 39
Vollenhove **NL** (O) 4 Ff 32
Vollezele **B** (BR) 17 Ea 44
Volthe **NL** (O) 9 Gf 34
Vonêche **B** (N) 25 Ef 48
Voorburg **NL** (Z-H) 6 Ec 36
Voorde **B** (O-V) 17 Df 44
Voordeldonk **NL** (N-B) 12 Fe 40
Voorhout **NL** (Z-H) 6 Ec 35
Voormezele **B** (W-V) 16 Cf 44
Voorschoten **NL** (Z-H) 6 Ec 36
Voorst **NL** (GLD) 8 Ga 35
Voorstonden **NL** (GLD) 8 Ga 36
Voort **B** (LIM) 19 Fc 42
Voort **B** (LIM) 19 Fc 44
Voorthuizen **NL** (GLD) 7 Fd 35
Voortkapel **B** (A) 18 Ef 42
Vorchten **NL** (GLD) 8 Ga 34
Vorden **NL** (GLD) 8 Gb 36
Voroux-Goreux **B** (LIE) 19 Fc 45
Vorselaar **B** (A) 18 Ee 41
Vorst **B** (A) 19 Fa 42
Vorst, De **NL** (L) 13 Ga 40
Vorst = Forest **B** (BR) 18 Ec 44
Vorstenbosch **NL** (N-B) 12 Fd 39
Vortum-Mullem **NL** (N-B) 12 Ff 39
Voskapel **B** (BR) 18 Ed 43
Vosselaar **B** (A) 19 Ef 41
Vossem **B** (BR) 18 Ed 43
Vossemolen **B** (W-V) 16 Da 43
Vossenhoek **B** (W-V) 17 Dc 44
Vossenhol **B** (O-V) 17 Dc 41
Vostaard **B** (LIM) 19 Fd 42
Vottem **B** (LIE) 19 Fd 44
Vrachelen **NL** (N-B) 11 Ef 39
Vragender **NL** (GLD) 13 Gd 37
Vrakker **NL** (L) 19 Fe 41
Vrasene **B** (O-V) 18 Eb 41
Vrebos **B** (BR) 18 Ed 43
Vrede, De - **B** (W-V) 17 Dc 40
Vredepeel **NL** (L) 12 Ff 39
Vreeland **NL** (U) 7 Fa 35
Vreeswijk **NL** (U) 11 Fa 36
Vremde **B** (A) 18 Ed 41
Vreren **B** (LIM) 19 Fd 44
Vresse-sur-Semois **B** (N) 30 Ef 49
Vries **NL** (DR) 4 Gd 30
Vriescheloo **NL** (GRO) 5 Ha 30
Vriezenveen **NL** (O) 9 Gd 34
Vriezenveensewijk, Westerhaar- **NL** (O) 8 Gd 34
Vrij **NL** (L) 13 Ga 38
Vroente **B** (BR) 19 Fa 43
Vroomshoop **NL** (O) 8 Gd 34
Vrouwenakker **NL** (N-H) 6 Ee 35
Vrouwenparochie **NL** (FR) 3 Fe 29
Vrouwenpolder **NL** (Z) 10 Dd 39
Vrouwentroost **NL** (N-H) 6 Ee 35
Vucht **B** (LIM) 20 Fe 43
Vuchtschoot **NL** (N-B) 11 Ee 39
Vught **NL** (N-B) 12 Fb 38
Vuilendam **NL** (Z-H) 11 Ef 37
Vuile Riete **NL** (DR) 8 Gc 33
Vuren **NL** (GLD) 11 Fa 38
Vurste **B** (O-V) 17 De 43
Vyle-et-Tharoul **B** (LIE) 25 Fb 46

W

Waal, De **NL** (N-H) 2 Ef 30
Waalre **NL** (N-B) 12 Fc 40
Waalwijk **NL** (N-B) 11 Fa 38
Waanrode **B** (BR) 19 Fa 43
Waarbeke **B** (O-V) 17 Df 44
Waardamme **B** (W-V) 16 Db 42
Waarde **NL** (Z) 10 Ea 40
Waardenburg **NL** (GLD) 12 Fb 38
Waarder **NL** (Z-H) 6 Ef 36
Waardhuizen **NL** (N-B) 11 Fa 38
Waarland **NL** (N-H) 7 Ef 32
Waarloos **B** (A) 18 Ec 42
Waarmaarde **B** (W-V) 17 Dc 44
Waarschoot **B** (O-V) 17 Dd 42
Waas, Sint-Gillis- **B** (O-V) 18 Ea 41
Waas, Nieuwkerken- **B** (O-V) 18 Eb 41
Waasmont **B** (BR) 19 Fa 44
Waasmunster **B** (O-V) 18 Ea 42
Waaxens **NL** (FR) 3 Fd 30
Waaxens **NL** (FR) 4 Ff 28
Wachtebeke **B** (O-V) 17 De 41
Wachtum **NL** (DR) 9 Ge 32
Waddinxveen **NL** (Z-H) 11 Ed 36
Wadelincourt **B** (H) 23 Dd 45
Wadenoijen **NL** (GLD) 12 Fc 37
Wadway **NL** (N-H) 6 Ef 32
Wadwerd **NL** (GRO) 4 Gd 28
Wagenberg **NL** (N-B) 11 Ee 39
Wagenborgen **NL** (GRO) 5 Gf 29
Wageningen **NL** (GLD) 12 Fe 37
Wageningen-Hoog **NL** (GLD) 12 Fe 36
Wagnelée **B** (H) 24 Ed 45
Waha **B** (LU) 25 Fc 47
Waharday **B** (LU) 25 Fc 47
Wahl **L** (D) 31 Ff 50
Wahlhausen **L** (D) 26 Ga 49
Wahlwiller **NL** (L) 20 Ff 44
Waije **NL** (L) 20 Ga 41
Waillet **B** (N) 25 Fb 47
Waimes **B** (LIE) 26 Ga 46
Wainage **B** (H) 24 Ed 46
Wakken **B** (W-V) 17 Dc 43
Wakkerzeel **B** (BR) 18 Ee 43
Walcourt **B** (N) 24 Ec 47
Waldbillig **L** (GRE) 32 Gb 50
Waldbredimus **L** (GRE) 32 Gb 51
Waleffes, Les - **B** (LIE) 19 Fb 45
Walem **B** (A) 18 Ec 42
Walferdange **L** (LUX) 32 Ga 50
Walfergem **B** (BR) 18 Eb 43
Walhain **B** (BR) 24 Ee 45
Walhorn **B** (LIE) 20 Ga 44
Walik **NL** (N-B) 12 Fc 40
Walk **B** (LIE) 26 Ga 46
Wallerode **B** (LIE) 26 Gb 47
Walsberg **NL** (N-B) 12 Fe 40
Walsbets **B** (BR) 19 Fa 44
Walsdorf **L** (D) 26 Gb 49
Walshoutem **B** (BR) 19 Fa 44
Walsoorden **NL** (Z) 10 Ea 40
Waltwilder **B** (LIM) 19 Fd 43
Waltzing **B** (LU) 31 Ff 50
Wambeek **B** (BR) 18 Eb 43
Wamel **NL** (GLD) 12 Fc 37
Wancennes **B** (N) 25 Ef 48
Wandre **B** (LIE) 19 Fe 44
Wanfercée-Baulet **B** (H) 24 Ed 46
Wanfercée-Baulet **B** (H) 24 Ed 46
Wange **B** (BR) 19 Fa 44
Wangenies **B** (H) 24 Ed 46
Wanlin **B** (N) 25 Fa 48
Wanne **B** (LIE) 26 Ff 46
Wannebecq **B** (H) 17 De 44
Wannegem-Lede **B** (O-V) 17 Dd 43
Wanneperveen **NL** (O) 8 Ga 32
Wanroij **NL** (N-B) 12 Ff 38
Wansin **B** (LIE) 19 Fa 44
Wanssum **NL** (L) 13 Ga 39
Wanssum, Meerlo- **NL** (L) 13 Ga 39
Wanswerd **NL** (FR) 4 Ff 29
Wanze **B** (LIE) 25 Fb 45
Wanzele **B** (O-V) 17 Df 43
Wanzoul **B** (LIE) 25 Fb 45
Wapenveld **NL** (GLD) 8 Ga 34
Wapse **NL** (DR) 4 Gb 31
Wapserveen **NL** (DR) 4 Gb 31
Warbomont **B** (LIE) 26 Fe 46
Warche **B** (LIE) 26 Ga 46
Warchin **B** (H) 23 Dc 45
Warcoing **B** (H) 17 Dc 44
Warder **NL** (N-H) 7 Fa 33
Wardin **B** (LU) 26 Fe 49
Waregem **B** (W-V) 17 Dc 43
Waremme **B** (LIE) 19 Fb 44
Waret-Franc **B** (N) 25 Fa 45
Waret-la-Chaussée **B** (N) 25 Ef 45
Waret-l'Évêque **B** (LIE) 25 Fa 45
Warffum **NL** (GRO) 4 Gd 28
Warfhuizen **NL** (GRO) 4 Gc 28
Warfstermolen **NL** (FR) 4 Gb 29
Warga = Wergea **NL** (FR) 4 Ff 30
Warisoulx **B** (N) 25 Ef 45
Warizy **B** (LU) 25 Fd 47
Warmenhuizen **NL** (N-H) 6 Ee 32
Warmifontaine **B** (LU) 31 Fc 50
Warmond **NL** (Z-H) 6 Ed 35
Warnach **B** (LU) 31 Fe 49
Warnant **B** (LIE) 25 Fb 45
Warnant **B** (N) 24 Ef 47
Warneton **B** (H) 16 Cf 44
Warns **NL** (FR) 3 Fc 31
Warnsveld **NL** (GLD) 8 Gb 36
Warquignies **B** (H) 23 De 46
Warre **B** (LU) 25 Fc 46
Warsage **B** (LIE) 20 Fe 44
Warstiens **NL** (FR) 4 Ff 29
Warten **NL** (FR) 4 Ff 30
Wartena = Warten **NL** (FR) 4 Ff 30
Wartet **B** (N) 25 Fa 46
Waskemeer **NL** (FR) 4 Gb 30
Wasmes **B** (H) 23 Dd 45
Wasmes **B** (H) 23 Df 46
Waspik **NL** (N-B) 11 Ef 38
Wasseiges **B** (LIE) 25 Fa 45
Wassenaar **NL** (Z-H) 6 Ec 36
Wasserbillig **L** (GRE) 32 Gd 50
Wastines **B** (BR) 18 Ee 44
Wateren **NL** (DR) 4 Gb 31
Watergang **NL** (N-H) 7 Ef 34
Wateringen **NL** (Z-H) 10 Eb 36
Waterlandkerkje **NL** (Z) 17 Dd 41
Waterland-Oudenman **B** (O-V) 17 Dd 41
Waterloo **B** (BR) 18 Ec 44
Watermaal-Bosvoorde = Watermael-Boitsfort **B** (BR) 18 Ec 44
Watermael-Boitsfort = Watermaal-Bosvoorde **B** (BR) 18 Ec 44
Watervliet **B** (O-V) 17 Dd 41
Watou **B** (W-V) 16 Cd 43
Watrinsart **B** (LU) 31 Fb 50
Wattermal **B** (LU) 26 Ff 47
Wattripont **B** (H) 17 Dd 44
Waulsort **B** (N) 24 Ef 47
Wauthier-Braine **B** (BR) 18 Eb 44
Waver, Sint-Katelijne- **B** (A) 18 Ed 42
Waver, Sint-Katelijne- **B** (A) 18 Ed 42
Waverveen **NL** (U) 6 Ef 35
Wavre = Waver **B** (BR) 18 Ed 44
Wavreille **B** (N) 25 Fb 48
Wayai **B** (LIE) 26 Ff 45
Wayaux **B** (H) 24 Ed 46
Webbekom **B** (BR) 19 Fa 43
Wechelderzande **B** (A) 18 Ee 41
Wecker **L** (GRE) 32 Gc 50
Weckerath **B** (LIE) 26 Gc 47
Wedde **NL** (GRO) 5 Ha 30
Wedderheide **NL** (GRO) 5 Ha 30
Wedderveer **NL** (GRO) 5 Ha 30
Weebosch **NL** (N-B) 19 Fb 41
Weegschede **B** (W-V) 16 Ce 43
Weegse **B** (O-V) 17 De 42
Weelde **B** (A) 11 Fa 40
Weende **NL** (GRO) 5 Ha 30
Weerd, De **NL** (L) 20 Ff 41
Weerde **B** (BR) 18 Ec 43
Weerdinge **NL** (DR) 5 Gf 32
Weerdingermond **NL** (GRO) 5 Ha 31
Weere, De **NL** (N-H) 7 Fa 32
Weerselo **NL** (O) 9 Gf 34
Weert **B** (A) 18 Eb 42
Weert, Sint-Joris- **B** (BR) 18 Ee 44
Weert **NL** (L) 20 Fe 41
Weerwille **NL** (DR) 8 Gb 32
Weesp **NL** (N-H) 7 Fa 35
Wegnez **B** (LIE) 26 Fe 45
Wehe-den Hoorn **NL** (FR) 4 Gc 28
Wehl **NL** (GLD) 13 Gb 37
Weicherdange **L** (D) 26 Ff 48
Weijerswold **NL** (DR) 9 Ge 33
Weijland **NL** (Z-H) 6 Ee 36
Weijpoort **NL** (Z-H) 6 Ee 36
Weiler **L** (D) 26 Ff 48
Weiler **L** (D) 26 Ga 49
Weiler-la-Tour **L** (LUX) 32 Gb 51
Weillen **B** (N) 24 Ee 47
Weipoort **NL** (Z-H) 6 Ed 36
Weisetter **B** (BR) 18 Ed 43
Weisten **B** (LIE) 26 Ga 47
Weiswampach **L** (D) 26 Ga 48
Weiteveen **NL** (DR) 9 Ha 32
Weiwerd **NL** (GRO) 5 Gf 29
Wekerom **NL** (GLD) 7 Fe 36
Welberg **NL** (N-B) 11 Ec 39
Welden **B** (O-V) 17 Dd 43
Welfrange **L** (GRE) 32 Gb 51
Welkenraedt **B** (LIE) 20 Ff 44
Well **NL** (GLD) 12 Fb 38
Well **NL** (L) 13 Ga 39
Welle **B** (O-V) 17 Ea 43
Wellen **B** (LIM) 19 Fc 43
Wellenstein **L** (GRE) 32 Gc 51
Wellerlooi **NL** (L) 13 Ga 39
Wellin **B** (LU) 25 Fa 48
Wellseind **NL** (GLD) 12 Fb 38
Welscheid **L** (D) 32 Ga 49
Welsrijp **NL** (FR) 3 Fd 29
Welsum **NL** (O) 8 Ga 34
Wemeldinge **NL** (Z) 10 Ea 39
Wemmel **B** (BR) 18 Eb 43
Wenduine **B** (W-V) 16 Da 41
Wenum **NL** (GLD) 8 Ff 35
Weper **NL** (FR) 4 Gb 30
Wépion **B** (N) 24 Ef 46
Werchter **B** (BR) 18 Ee 43
Wereth **B** (LIE) 26 Gb 46
Wergea **NL** (FR) 4 Ff 30
Weris **B** (LU) 25 Fd 47
Werken, Zarren- **B** (W-V) 16 Cf 42
Werkendam **B** (A) 11 Fa 40
Werkendam **NL** (N-B) 11 Ef 38
Werkhoven **NL** (U) 12 Fb 36
Werkplaatsen, Overpelt- **B** (LIM) 19 Fc 41
Werm **B** (LIM) 19 Fd 43
Wernhout **NL** (N-B) 11 Ee 40
Werpin **B** (LU) 25 Fc 47
Wersbeek **B** (BR) 19 Ef 43
Wervershoof **NL** (N-H) 7 Fb 32
Wervik **B** (W-V) 16 Da 44
Wesepe **NL** (O) 8 Gb 34
Wespelaar **B** (BR) 18 Ed 43
Wesselerbrink **NL** (O) 9 Gf 35
Wessem **NL** (L) 20 Ff 41
Wessinge **NL** (GLD) 8 Ff 34
West, Capelle- **NL** (Z-H) 11 Ed 37
Westbeemster **NL** (N-H) 6 Ef 33
Westbroek **NL** (U) 7 Fa 36
Westdijk **NL** (Z-H) 10 Ec 38
Westdorp **NL** (DR) 5 Ge 31
Westdorpe **NL** (Z) 17 Df 41
Westeind **NL** (GRO) 5 Ge 30
Westeinde **NL** (DR) 4 Gc 32
Westelbeers **NL** (N-B) 12 Fb 40
Westende **B** (W-V) 16 Ce 42
Westende-Bad **B** (W-V) 16 Ce 41
Westendorp **NL** (GLD) 13 Gc 37
Westenesch **NL** (DR) 5 Gf 32
Westenholte **NL** (O) 8 Ga 33
Westerbeek **NL** (N-B) 12 Ff 39
Westerbork **NL** (DR) 4 Gd 31
Westerbroek **NL** (GRO) 5 Ge 29
Westerein Harich **NL** (FR) 3 Fd 31
Westeremden **NL** (GRO) 5 Ge 28
Westergeest **NL** (FR) 4 Ga 29
Westerhaar-Vriezenveensewijk **NL** (O) 9 Gd 34
Westerhoven **NL** (N-B) 12 Fc 40
Wester-Koggenland **NL** (N-H) 6 Ee 33
Westerland **NL** (N-H) 2 Ef 31
Westerlee **NL** (GRO) 5 Gf 30
Westerlee **NL** (Z-H) 10 Eb 37
Westerlo **B** (A) 19 Ef 42
Westernieland **NL** (GRO) 4 Gd 28
Westernijkerk **NL** (FR) 3 Fe 29
Westerschouwen **NL** (Z) 10 De 38
Westervelde **NL** (DR) 4 Gc 30
Westervoort **NL** (GLD) 12 Ff 37
Westerwijtwerd **NL** (GRO) 4 Ge 28
West-Graftdijk **NL** (N-H) 6 Ee 33
Westhem **NL** (FR) 3 Fd 30
Westhoek **B** (W-V) 16 Cf 43
Westkant **B** (W-V) 16 Db 42
Westkapelle **B** (W-V) 17 Db 41
Westkapelle **NL** (Z) 10 Dc 39
Westkerke **B** (W-V) 16 Da 42
West-Knollendam **NL** (N-H) 6 Ee 33
Westlaren **NL** (DR) 5 Ge 30
Westmaas **NL** (Z-H) 11 Ec 38
West Maas en Waal **NL** (GLD) 12 Fc 37
Westmalle **B** (A) 18 Ee 41
Westmeerbeek **B** (A) 18 Ef 42
Westouter **B** (W-V) 16 Ce 44
Westrem **B** (O-V) 17 Df 43
Westrode **B** (BR) 18 Ec 43
Westrozebeke **B** (W-V) 16 Da 43
West-Souburg **NL** (Z) 10 Dd 40
Weststellingwerf **NL** (FR) 4 Ga 31
West-Terschelling **NL** (FR) 3 Fb 28
Westvleteren **B** (W-V) 16 Ce 43
Westvoorne **NL** (Z-H) 10 Ea 37
Westwoud **NL** (N-H) 7 Fa 32
Westzaan **NL** (N-H) 6 Ee 34
Westzaaner Overtoom **NL** (N-H) 6 Ee 34
Wetering **NL** (O) 4 Ff 32
Weteringbrug **NL** (N-H) 6 Ed 35
Wetteren **B** (O-V) 17 Df 42
Wetzens **NL** (FR) 4 Ga 28
Weurt **NL** (GLD) 12 Ff 37
Weveler **B** (LIE) 26 Ga 47
Wevelgem **B** (W-V) 16 Db 44
Wever **B** (BR) 19 Ef 43
Weverstraat **B** (O-V) 18 Ea 43
Weverwijk **NL** (Z-H) 11 Fa 37
Weyler **B** (LU) 31 Fe 51
Weywertz **B** (LIE) 26 Gb 46
Wezel **B** (A) 19 Fb 41
Wezemaal **B** (BR) 18 Ee 43
Wezembeek-Oppem **B** (BR) 18 Ed 43
Wezep **NL** (GLD) 8 Ga 34
Wezeren **B** (BR) 19 Fa 44
Wezup **NL** (DR) 5 Ge 32
Wez-Velvain **B** (H) 23 Dc 45
Wheermolen **NL** (N-H) 7 Ef 33
Wibrin **B** (LU) 26 Fe 47
Wichelen **B** (O-V) 17 Df 42
Wichmond **NL** (GLD) 8 Gb 36
Wicourt **B** (LU) 26 Fe 48
Widooie **B** (LIM) 19 Fc 44
Wiekevorst **B** (A) 18 Ee 42
Wieler **NL** (L) 20 Ga 41
Wielsbeke **B** (W-V) 17 Dc 43
Wiene **NL** (O) 9 Ge 35
Wier **NL** (FR) 3 Fd 29
Wierde **B** (N) 25 Ef 46
Wierden **NL** (O) 8 Gd 34
Wieringen **NL** (N-H) 2 Ef 31
Wieringermeer **NL** (N-H) 2 Ef 31
Wieringerwaard **NL** (N-H) 2 Ef 31
Wieringerwerf **NL** (N-H) 3 Fa 31
Wiers **B** (H) 23 Dd 45
Wierum **NL** (FR) 4 Ga 28
Wiesenbach **B** (LIE) 26 Ga 47
Wiesme **B** (N) 25 Ef 48
Wieuwerd **NL** (FR) 4 Fe 30
Wieze **B** (O-V) 17 Ea 43
Wigny **B** (LU) 25 Fd 48
Wihogne **B** (LIE) 19 Fd 44
Wijbosch **NL** (N-B) 12 Fc 39
Wijchen **NL** (GLD) 12 Fe 38
Wijchmaal **B** (LIM) 19 Fc 42
Wijck **NL** (L) 20 Fe 43
Wijckel **NL** (FR) 3 Fd 31
Wijdenes **NL** (N-H) 7 Fb 33
Wijdewormer **NL** (N-H) 6 Ef 34
Wijer **B** (LIM) 19 Fb 43
Wijgmaal **B** (BR) 18 Ee 43
Wijhe **NL** (O) 8 Ga 34
Wijk, Sint-Jans- **B** (O-V) 17 Dd 43
Wijk, De **NL** (DR) 8 Gb 32
Wijk aan Zee **NL** (N-H) 6 Ed 34
Wijk bij Duurstede **NL** (U) 12 Fc 37
Wijk en Aalburg **NL** (N-B) 11 Fa 38
Wijlre **NL** (L) 20 Ff 43
Wijnaldum **NL** (FR) 3 Fc 29
Wijnandsrade **NL** (L) 20 Ff 43

Vinkel – Wijnandsrade (B) (NL) (L) 49

Wijnbergen **NL** (GLD) 13 Gb 37
Wijnegem **B** (A) 18 Ed 41
Wijnendale **B** (W-V) 16 Da 43
Wijngaarden **NL** (Z-H) 11 Ee 37
Wijnhuize, Steenhuize- **B** (O-V)
 17 Df 43
Wijnhuize **B** (O-V) 17 Df 43
Wijnjewoude **NL** (FR) 4 Gb 30
Wijns = Wyns **NL** (FR) 4 Fe 29
Wijshagen **B** (LIM) 19 Fd 42
Wijster **NL** (DR) 4 Gd 32
Wijtgaard **NL** (FR) 4 Fe 30
Wijthmen **NL** (O) 8 Gb 33
Wijtschate **B** (W-V) 16 Cf 44
Wijve **B** (LIM) 19 Fb 43
Wilbertoord **NL** (N-B) 12 Fe 38
Wilcrange **L** (D) 26 Ff 48
Wilde **B** (O-V) 17 Dd 42
Wilderen **NL** (LIM) 19 Fb 44
Wildert **B** (A) 11 Ec 40
Wildervank **NL** (GRO) 5 Gf 30
Wilgen, De **NL** (FR) 4 Ga 30
Wilhelminadorp **NL** (Z) 10 Df 39
Wilhelminaoord **NL** (DR)
 4 Ga 31
Wilhelmsoord **NL** (DR) 5 Gf 32
Willancourt **B** (LU) 31 Fe 51
Willaupuis **B** (H) 23 Dd 45
Willebringen **B** (BR) 18 Ef 44
Willebroek **B** (A) 18 Ec 42
Willemeau **B** (H) 23 Dc 45
Willemsdorp **NL** (Z-H) 11 Ed 38
Willemsoord **NL** (O) 4 Ga 31
Willemstad **NL** (N-B) 11 Ec 38
Willerzie **B** (N) 30 Ef 49
Willeskop **NL** (U) 11 Ef 36
Wilnis **NL** (U) 6 Ef 35
Wilogne **B** (LU) 26 Fe 47
Wilp **NL** (GLD) 8 Ga 35
Wilp, De **NL** (GRO) 4 Gb 30
Wilrijk **B** (A) 18 Ec 42
Wilsele **B** (BR) 18 Ee 43
Wilsum **NL** (O) 8 Ff 33
Wilsveen **NL** (Z-H) 6 Ec 36
Wiltz **L** (D) 26 Ff 49
Wilwerdange **B** (D) 26 Ga 48
Wilwerwiltz **L** (D) 26 Ff 49
Wimbay **B** (LU) 25 Fd 48
Wimmenum **NL** (N-H) 6 Ee 33
Wimmertingen **B** (LIM) 19 Fc 43
Winamplanche **B** (LIE) 26 Ff 46
Windesheim **NL** (O) 8 Ga 34
Windeweer, Kiel- **NL** (GRO)
 5 Ge 30
Winenne **B** (N) 25 Ef 48
Winge, Sint-Joris- **B** (BR)
 19 Ef 43
Winge, Tielt- **B** (BR) 19 Ef 43
Wingene **B** (W-V) 17 Db 42
Winkel, Sint-Kruis- **B** (O-V)
 17 Df 42
Winkel, Sint-Eloois- **B** (W-V)
 16 Db 43
Winkel **NL** (N-H) 6 Ef 32
Winkelken **B** (O-V) 17 Dd 43
Winkelomheide **B** (A) 19 Fa 42
Winksele **B** (BR) 18 Ed 43
Winschoten **NL** (GRO) 5 Ha 30
Winseler **L** (D) 26 Ff 49
Winssen **NL** (GLD) 12 Fe 37
Winsum **NL** (FR) 3 Fd 30
Winsum **NL** (GRO) 4 Gd 29
Wintelre **NL** (N-B) 12 Fc 40
Wintershoven **B** (LIM) 19 Fc 43
Winterslag **B** (LIM) 19 Fc 43
Winterswijk **NL** (GLD) 13 Ge 37
Wintham **B** (A) 18 Eb 42
Wintrange **L** (GRE) 32 Gc 51
Winville **B** (LU) 31 Fd 49
Wiompont **B** (LU) 25 Fd 48
Wip **B** (W-V) 16 Ce 43
Wippelgem **B** (O-V) 17 De 42

Wirdum **NL** (FR) 4 Fe 30
Wirdum **NL** (GRO) 5 Ge 29
Wirtzfeld **B** (LIE) 26 Gb 46
Wisbecq **B** (BR) 18 Ea 44
Wisch **NL** (GLD) 13 Gc 37
Wisch, Ter **NL** (GRO) 5 Ha 31
Wisembach **B** (LU) 31 Fe 49
Wissekerke **NL** (Z) 10 Df 40
Wissenkerke **NL** (Z) 10 De 39
Witgoor **B** (A) 19 Fb 41
Witharen **NL** (O) 8 Gc 33
Witmarsum **NL** (FR) 3 Fc 30
Witrijt **NL** (N-B) 19 Fb 41
Witry **B** (LU) 31 Fd 49
Wittelte **NL** (DR) 4 Gb 31
Wittem **NL** (L) 20 Ff 44
Witterzée, Lillois- **B** (BR)
 18 Ec 45
Witteveen **NL** (DR) 5 Ge 32
Wittewierum **NL** (GRO) 5 Ge 29
Wodecq **B** (H) 17 De 44
Wodon, Cortil- **B** (N) 25 Ef 45
Woensdrecht **NL** (N-B)
 10 Eb 40
Woensel **NL** (N-B) 12 Fc 40
Woerden **NL** (Z-H) 6 Ef 36
Woerdense Verlaat **NL** (U)
 6 Ef 36
Woesten **B** (W-V) 16 Ce 43
Woestijn **B** (O-V) 18 Ea 44
Woezik **NL** (GLD) 12 Fe 38
Wognum **NL** (N-H) 7 Fa 32
Woldendorp **NL** (GRO) 5 Ha 29
Wolder **B** (LIM) 19 Fe 43
Wolfgat **B** (O-V) 17 Dd 44
Wolfhaag **NL** (L) 20 Ga 44
Wolfheze **NL** (GLD) 12 Fe 36
Wolfsbarge **NL** (GRO) 5 Ge 30
Wolfsdonk **B** (BR) 19 Ef 42
Wolkrange **B** (LU) 31 Fe 51
Wolphaartsdijk **NL** (Z) 10 Df 40
Wolsum **NL** (FR) 3 Fd 30
Woltersum **NL** (GRO) 5 Ge 29
Woluwe, Sint-Stevens- **B** (BR)
 18 Ec 43
Woluwé-Saint-Lambert = Sint-
 Lambrechts-Woluwe **B** (BR)
 18 Ec 43
Wolvega **NL** (FR) 4 Ga 31
Wolvenhoek **B** (O-V) 17 Df 43
Wolvertem **B** (BR) 18 Eb 43
Wolwelange **L** (D) 31 Fe 50
Wommelgem **B** (A) 18 Ed 41
Wommels **NL** (FR) 3 Fd 30
Wommersom **B** (BR) 19 Fa 44
Wonck **B** (LIE) 19 Fd 44
Wondelgem **B** (O-V) 17 De 42
Wons **NL** (FR) 3 Fc 30
Wontergem **B** (O-V) 17 Dc 43
Woold **NL** (GLD) 13 Ge 37
Workum **NL** (FR) 3 Fc 31
Wormeldange **L** (GRE) 32 Gc 51
Wormer **NL** (N-H) 6 Ef 33
Wormerveer **NL** (N-H) 6 Ef 34
Wortegem-Petegem **B** (O-V)
 17 Dd 43
Wortel **B** (A) 11 Ee 40
Woubrechtegem **B** (O-V)
 17 Df 43
Woubrugge **NL** (Z-H) 6 Ed 36
Woud, Het **NL** (N-H) 6 Ee 33
Woudenberg **NL** (U) 7 Fc 36
Woudrichem **NL** (N-B) 11 Fa 38
Woudsend **NL** (FR) 3 Fd 31
Woudt, 't **NL** (Z-H) 10 Eb 37
Woumen **B** (W-V) 16 Cf 42
Wouterswoude **NL** (FR) 4 Ga 29
Wouw **NL** (N-B) 11 Ec 39
Wouwse Plantage **NL** (N-B)
 11 Ec 40
Wulmersom **B** (BR) 19 Ef 44

Wulvergem **B** (W-V) 16 Cf 44
Wulveringen **B** (W-V) 16 Cd 42
Wûnseradiel **NL** (FR) 3 Fc 30
Wurfeld **B** (LIM) 20 Fe 42
Wuustwezel **B** (A) 11 Ed 40
Wy **B** (LU) 25 Fd 47
Wymbritseradiel **NL** (FR)
 3 Fd 31
Wyns **NL** (FR) 4 Fe 29

X

Xhendelesse **B** (LIE) 26 Fe 45
Xhendremael **B** (LIE) 19 Fd 44
Xhoffraix **B** (LIE) 26 Ga 46
Xhoris **B** (LIE) 25 Fd 46
Xhos **B** (LIE) 25 Fc 46
Xhout-si-Plout **B** (LU) 26 Fe 47

Y

Ychippe **B** (N) 25 Fa 47
Yde **NL** (DR) 4 Gd 30
Yernée **B** (LIE) 25 Fc 45
Yerseke **NL** (Z) 10 Ea 40
Ysselsteyn **NL** (L) 12 Ff 40
Yves-Gomezée **B** (N) 24 Ec 47
Yvoir **B** (N) 25 Ef 47
Yvoy **B** (N) 25 Ef 46

Z

Zaamslag **NL** (Z) 17 Df 41
Zaamslagveer **NL** (Z) 17 Df 41
Zaandijk **NL** (N-H) 6 Ee 34
Zaanse Schans **NL** (N-H)
 6 Ef 34
Zaanstad **NL** (N-H) 6 Ef 34
Zaffelare **B** (O-V) 17 Df 42
Zakstraat **B** (O-V) 17 Ea 43
Zalk **NL** (O) 8 Ga 33
Zalné **NL** (O) 8 Ga 33
Zaltbommel **NL** (GLD) 12 Fb 38
Zammel **B** (A) 19 Ef 42
Zand, 't **NL** (N-H) 2 Ee 31
Zandberg **NL** (GRO) 5 Ha 31
Zandberg **NL** (L) 13 Ga 40
Zandberg **NL** (Z) 18 Ea 41
Zandbergen **B** (O-V) 17 Df 44
Zanddijk **NL** (Z) 10 De 39
Zande, De **NL** (O) 8 Ff 33
Zande **B** (W-V) 16 Cf 42
Zandeweer **NL** (GRO) 5 Ge 28
Zandhoek **NL** (L) 13 Ga 39
Zandhoven **B** (A) 18 Ee 41
Zandkapel **B** (A) 18 Ef 42
Zandoerle **NL** (N-B) 12 Fc 40
Zandpol **NL** (DR) 9 Gf 32
Zandstraat **NL** (Z) 17 De 41
Zandt, 't **NL** (GRO) 5 Ge 28
Zandvliet **B** (A) 10 Eb 40
Zandvoorde **B** (W-V) 16 Cf 41
Zandvoorde **B** (W-V) 16 Cf 44
Zandvoort **NL** (N-H) 6 Ed 34
Zandwerven **NL** (N-H) 7 Ef 32
Zanegeest **NL** (N-H) 6 Ee 32
Zarlardinge **B** (O-V) 17 Df 44
Zarrenlinde **B** (W-V) 16 Cf 42
Zarren-Werken **B** (W-V)
 16 Cf 42
Zavel, Hoeven- **B** (LIM) 19 Fd 42
Zaventem **B** (BR) 18 Ec 43
Zeddam **NL** (GLD) 13 Gb 37
Zedelgem **B** (W-V) 16 Da 42
Zederik **NL** (Z-H) 11 Ef 37
Zeebrugge **B** (W-V) 16 Db 40

Zeedorp **NL** (Z) 10 Df 40
Zeegse **NL** (DR) 5 Ge 30
Zeeland **NL** (N-B) 12 Fe 38
Zeerijp **NL** (GRO) 5 Ge 28
Zeevang **NL** (N-H) 7 Fa 33
Zeewolde **NL** (F) 7 Fd 34
Zegelsem **B** (O-V) 17 De 44
Zegge **NL** (N-B) 11 Ed 39
Zegveld **NL** (U) 6 Ef 36
Zeijen **NL** (DR) 4 Gd 30
Zeilberg **NL** (N-B) 12 Ff 40
Zeist **NL** (U) 7 Fb 36
Zeldam **NL** (O) 9 Gd 35
Zelderheide, Ven- **NL** (L)
 13 Ga 38
Zele **B** (O-V) 17 Ea 42
Zelem **B** (LIM) 19 Fa 43
Zelhem **NL** (GLD) 13 Gc 36
Zelk **B** (LIM) 19 Fa 43
Zellik **B** (BR) 18 Eb 43
Zelzate **B** (O-V) 17 De 41
Zemst **B** (BR) 18 Ec 43
Zenderen **NL** (O) 9 Ge 35
Zepperen **B** (LIM) 19 Fb 44
Zerkegem **B** (W-V) 16 Da 41
Zetten **NL** (GLD) 12 Fe 37
Zevekote **B** (W-V) 16 Cf 42
Zevenaar **NL** (GLD) 13 Ga 37
Zevenbergen **NL** (N-B) 11 Ed 39
Zevenbergschen Hoek **NL** (N-B)
 11 Ee 38
Zeveneken **B** (O-V) 17 Df 42
Zevenhoven **NL** (Z-H) 6 Ee 35
Zevenhuizen **NL** (GRO) 4 Gc 30
Zevenhuizen **NL** (Z-H) 11 Ed 36
Zeverdonk **B** (A) 19 Ef 41
Zeveren **B** (O-V) 17 Dd 43
Zevergem **B** (W-V) 17 De 43
Zichem **B** (BR) 19 Fa 42
Zichem, Scherpenheuvel- **B**
 (BR) 19 Fa 42
Zierbeek **B** (BR) 18 Eb 43
Zierikzee **NL** (Z) 10 Df 39
Zieuwent **NL** (GLD) 13 Gd 36
Zijderveld **NL** (Z-H) 11 Fa 37
Zijdewind **NL** (N-H) 6 Ef 32
Zijldijk **NL** (GRO) 5 Ge 28
Zijpe **NL** (N-H) 2 Ee 32
Zijtaart **NL** (N-B) 12 Fd 39
Zilk, De **NL** (Z-H) 6 Ed 35
Zillebeke **B** (O-V) 18 Eb 41
Zillebeke **B** (W-V) 16 Cf 43
Zingem **B** (O-V) 17 Dd 43
Zinkweg **NL** (Z-H) 11 Ec 38
Zittaart **B** (A) 19 Fa 42
Zoelen **NL** (GLD) 12 Fc 37
Zoelmond **NL** (GLD) 12 Fb 37
Zoerle-Parwijs **B** (A) 18 Ef 42
Zoersel **B** (A) 18 Ee 41
Zogge **B** (O-V) 18 Ea 42
Zoiwerstraat **B** (O-V) 17 Df 42
Zolder, Heusden- **B** (LIM)
 19 Fb 42
Zomergem **B** (O-V) 17 Dd 42
Zondereigen **B** (A) 11 Ef 40
Zondveld **NL** (N-B) 11 Ed 36
Zonhoven **B** (LIM) 19 Fb 43
Zonnebeke **B** (W-V) 16 Cf 43
Zonnemaire **NL** (Z) 10 Df 38
Zoot **B** (BR) 19 Ef 43
Zorgvlied **NL** (DR) 4 Gb 31
Zottegem **B** (O-V) 17 De 43
Zoute, Het- **B** (W-V) 17 Db 40
Zoutelande **NL** (Z) 10 Dc 39
Zouteveen **NL** (Z-H) 10 Ec 37
Zoutkamp **NL** (GRO) 4 Gb 28
Zoutleeuw **B** (BR) 19 Fa 43
Zudweg **B** (W-V) 16 Db 42
Zuidbarge **NL** (DR) 5 Gf 32

Zuid-Beijerland **NL** (Z-H)
 11 Ec 38
Zuidbroek **NL** (GRO) 5 Gf 29
Zuiddorpe **NL** (Z) 17 Df 41
Zuid-Eierland **NL** (N-H) 2 Ee 30
Zuiderkolonie **NL** (GRO) 5 Gf 30
Zuideropgaande **NL** (DR)
 8 Gd 32
Zuiderwoude **NL** (N-H) 7 Fa 34
Zuidhorn **NL** (GRO) 4 Gc 29
Zuidland **NL** (Z-H) 10 Eb 38
Zuidlaren **NL** (DR) 5 Ge 30
Zuidloo **NL** (O) 8 Gc 35
Zuidoostbeemster **NL** (N-H)
 6 Ef 33
Zuid-Scharwoude **NL** (N-H)
 6 Ee 32
Zuidschermer **NL** (N-H) 6 Ee 33
Zuidschote **B** (W-V) 16 Cf 43
Zuidveen **NL** (O) 4 Ga 32
Zuidveld **NL** (GRO) 5 Hb 31
Zuidvelde **NL** (DR) 4 Gc 30
Zuidwending **NL** (GRO) 5 Gf 30
Zuidwijk **NL** (Z-H) 11 Ed 37
Zuidwolde **NL** (DR) 8 Gc 32
Zuidwolde **NL** (GRO) 4 Gd 29
Zuidzande **NL** (Z) 17 Dc 40
Zuidzijde **NL** (Z-H) 10 Eb 38
Zuidzijde **NL** (Z-H) 11 Ec 38
Zuienkerke **B** (W-V) 16 Db 41
Zuilichem **NL** (GLD) 11 Fa 38
Zulte **B** (O-V) 17 Dc 43
Zulzeke **B** (O-V) 17 Dd 44
Zunderdorp **NL** (N-H) 7 Ef 34
Zundert **NL** (N-B) 11 Ee 40
Zurich **NL** (FR) 3 Fc 30
Zutendaal **B** (LIM) 19 Fd 43
Zuthem, Laag **NL** (O) 8 Gb 34
Zutphen **NL** (GLD) 8 Gb 36
Zuun **B** (BR) 18 Ea 44
Zuurdijk **NL** (GRO) 4 Gc 28
Zwaag **NL** (N-H) 7 Fa 32
Zwaagdijk-Oost **NL** (N-H)
 7 Fa 32
Zwaagdijk-West **NL** (N-H)
 7 Fa 32
Zwaagwesteinde **NL** (FR)
 4 Ga 29
Zwaanshoek **NL** (N-H) 6 Ed 35
Zwalm **B** (O-V) 17 De 43
Zwammerdam **NL** (Z-H) 6 Ee 36
Zwanenburg **NL** (N-H) 6 Ee 34
Zwankendamme **B** (W-V)
 16 Db 41
Zwartberg **B** (LIM) 19 Fd 42
Zwartebroek **NL** (GLD) 7 Fd 35
Zwarte Haan **NL** (FR) 3 Fd 29
Zwarteneer **NL** (O) 9 Ha 32
Zwartenheuvel **B** (A) 11 Ec 40
Zwartewaal **NL** (Z-H) 10 Eb 37
Zwartsluis **NL** (O) 8 Ga 33
Zwartsluisje **NL** (O) 10 Ec 38
Zweeloo **NL** (DR) 9 Ge 32
Zweins **NL** (FR) 3 Fd 29
Zweth **NL** (Z-H) 11 Ec 37
Zwevegem **B** (H) 17 Dc 44
Zwevezele **B** (W-V) 16 Db 42
Zwiggelte **NL** (DR) 4 Gd 31
Zwijnaarde **B** (O-V) 17 De 42
Zwijndrecht **B** (A) 18 Eb 41
Zwilbroek **NL** (GLD) 9 Ge 36
Zwinderen **NL** (DR) 9 Ge 32
Zwingelspaan **NL** (N-B)
 11 Ed 39
Zwolle **NL** (O) 8 Ga 33

Plans de villes · Stadsplattegronden · Piante di città · Planos de ciudades
Stadtpläne · City maps · Stadskartor · Plany miast
Légende · Legenda · Segni convenzionali · Signos convencionales
Zeichenerklärung · Legend · Teckenförklaring · Objaśnienia znakóv
1:20.000

(F)	(NL)		(I)	(E)
Autoroute	Autosnelweg		Autostrada	Autopista
Route à quatre voies	Weg met vier rijstroken		Strada a quattro corsie	Carretera de cuatro carriles
Route de transit	Weg voor doorgaande verkeer		Strada di attraversamento	Carretera de tránsito
Route principale	Hoofdweg		Strada principale	Carretera principal
Autres routes	Overige wegen		Altre strade	Otras carreteras
Zone piétonne	Voetgangerzone		Zona pedonale	Zona peatonal
Parking	Parkeerplaats	P	Parcheggio	Aparcamiento
Chemin de fer principal	Belangrijke spoorweg		Ferrovia principale	Ferrocarril principal
Chemin de fer secondaire	Lokale spoorweg		Ferrovia secondaria	Ferrocarril secundaria
Réseaux express régional	Stadbaan		Ferrovia urbana	Metro
Métro	Ondergrondse spoorweg		Metro	Subterráneo
Information	Informatie	i	Informazioni	Información
Poste de police	Politiebureau		Posto di polizia	Comisaria de policia
Bureau de poste	Postkantoor		Ufficio postale	Correos
Hôpital	Ziekenhuis		Ospedale	Hospital
Monument	Monument		Monumento	Monumento
Auberge de jeunesse	Jeugdherberg		Ostello della gioventù	Albergue de juventud
Zone bâtie, bâtiment public	Woongebied, Openbaar gebouw		Caseggiato, edificio pubblico	Zona edificada, edificio publico
Zone industrielle	Industriekomplex		Zona industriale	Zona industrial
Parc, bois	Park, bos		Parco, bosco	Parque, bosque

(D)	(GB)		(S)	(PL)
Autobahn	Motorway		Motorväg	Autostrady
Vierspurige Straße	Road with four lanes		Väg med fyra körfällt	Drogi szybkiego ruchu
Durchgangsstraße	Through road		Genomfartsled	Ulice przelotowe
Hauptstraße	Main road		Huvudled	Drogi główne
Sonstige Straßen	Other roads		Övriga vägar	Drogi inne
Fußgängerzone	Pedestrian zone		Gågata	Strefa ruchu pieszego
Parkplatz	Parking	P	Parkering	Parkingi
Hauptbahn	Main railway		Huvudjärnväg	Koleje główne
Nebenbahn	Other railways		Mindre viktig järnväg	Koleje drugorzędne
S-Bahn	Rapid city railway		Förortståg	Szybkie koleje miejskie
U-Bahn	Underground		Tunnelbana	Metro
Information	Information	i	Information	Informacja
Polizeistation	Police station		Poliskontor	Komisariaty
Postamt	Post office		Postkontor	Poczty
Krankenhaus	Hospital		Sjukhus	Szpitale
Denkmal	Monument		Monument	Pomniki
Jugendherberge	Youth hostel		Vandrarhem	Schroniska młodzieżowe
Bebauung, öffentliches Gebäude	Built-up area, public building		Bebyggelse - Offentig byggnad	Obszary zabudowane, budynki użyteczności publicznej
Industriegebiet	Industrial area		Industriområde	Obszary przemysłowe
Park, Wald	Park, forest		Park, skog	Parki, lasy

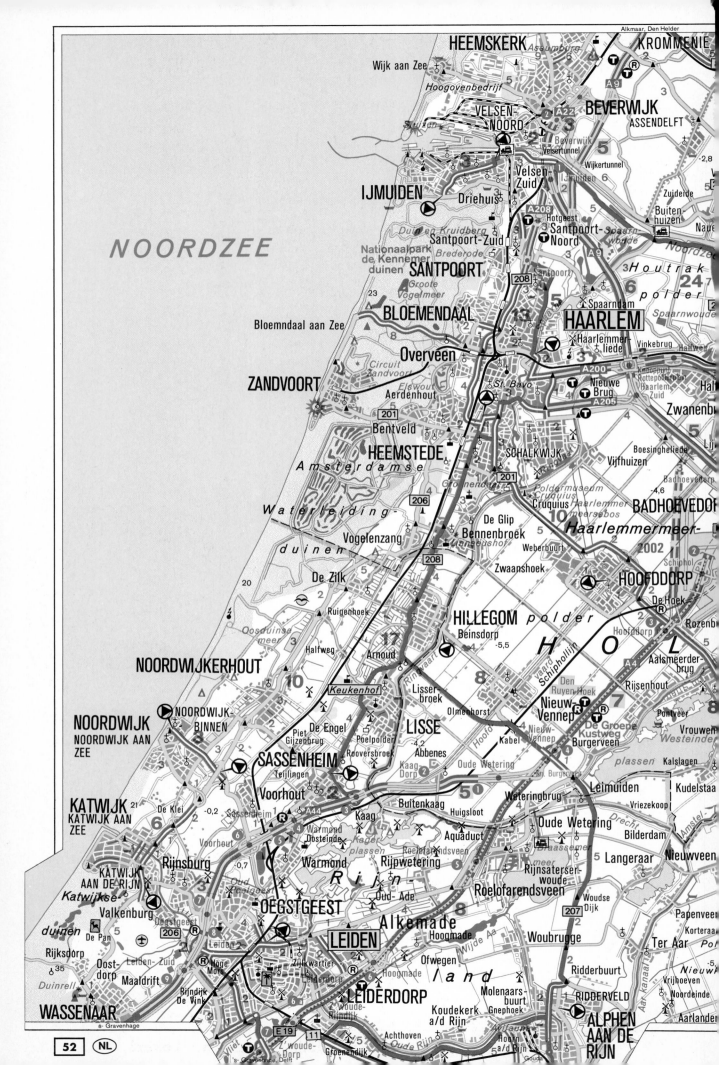

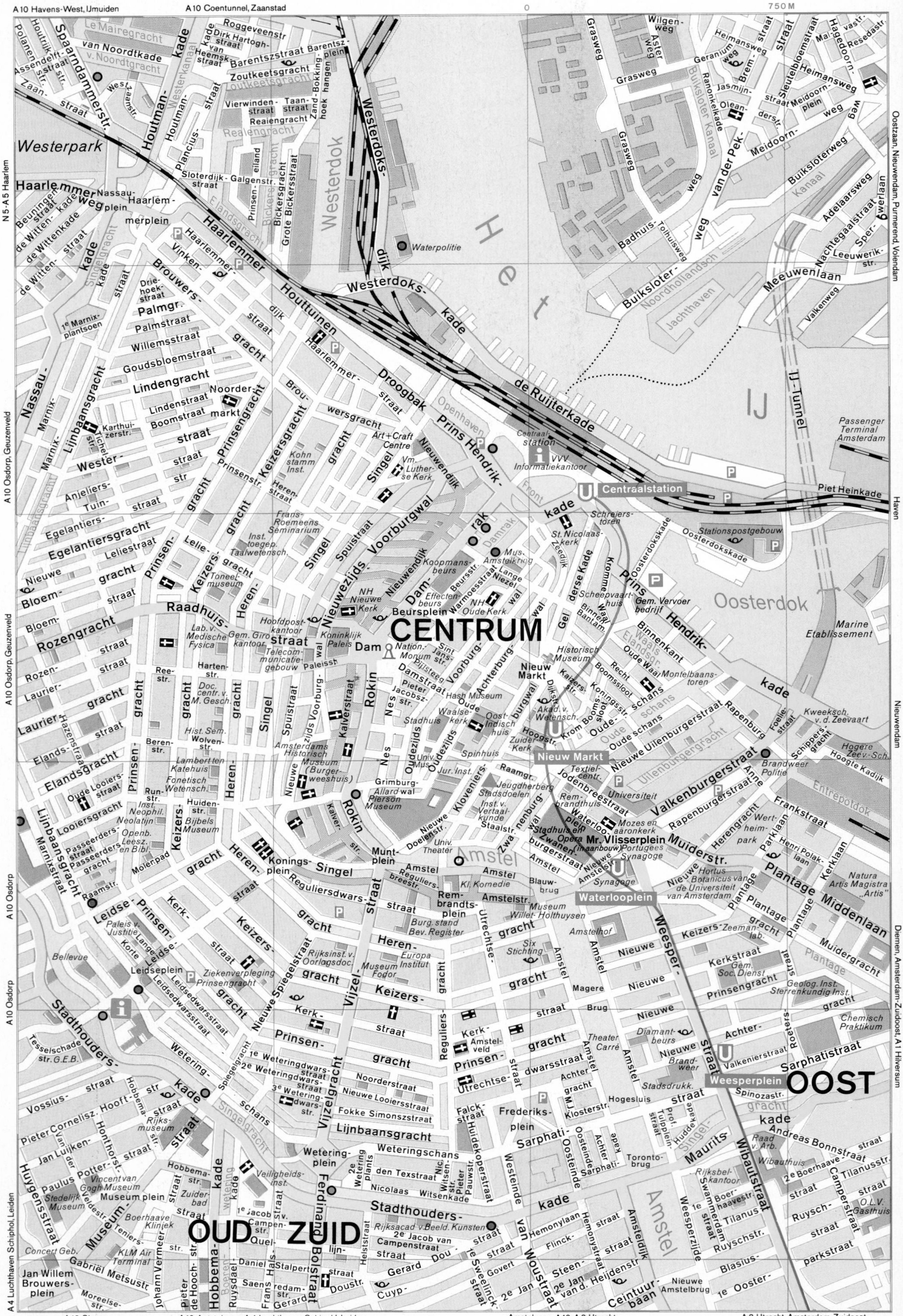

0   750 M

Westerpark

CENTRUM

OOST

OUD ZUID

Het IJ

Oosterdok

IJ-Tunnel

Passenger Terminal Amsterdam

Centraal station

Centraalstation

VVV Informatiekantoor

Haarlemmer Weg

Haarlemmerplein

Nassauplein

Westerdokskade

de Ruijterkade

Piet Heinkade

Houttuinen

Prins Hendrikkade

Droogbak

St. Nicolaaskerk

Museum Amstelkring

Oude Kerk

NH Nieuwe Kerk

Koninklijk Paleis

Dam

Nationaal Monument

Beursplein

Rokin

Nieuw Markt

Nieuwe Markt

Historisch Museum

Muntplein

Koningsplein

Rembrandtplein

Amstel

Waterlooplein

Mr. Visserplein

Opera/Stadhuis

Portugese Synagoge

Hortus Botanicus van de Universiteit van Amsterdam

Natura Artis Magistra "Artis"

Plantage Middenlaan

Weesperplein

Sarphatistraat

Leidseplein

Leidsestraat

Stadhouderskade

Vondelpark area

Rijksmuseum

Vincent van Gogh Museum

Stedelijk Museum

Museumplein

Concertgebouw

Weteringplantsoen

Frederiksplein

Sarphatipark

Amstel

Wibautstraat

Mauritskade

Prinsengracht

Keizersgracht

Herengracht

Singel

Nieuwe Herengracht

Weesperstraat

Plantage

Entrepotdok

Westerdoksdijk

Buiksloter Kanaal

Noordhollandsch Kanaal

Jachthaven

Meeuwenlaan

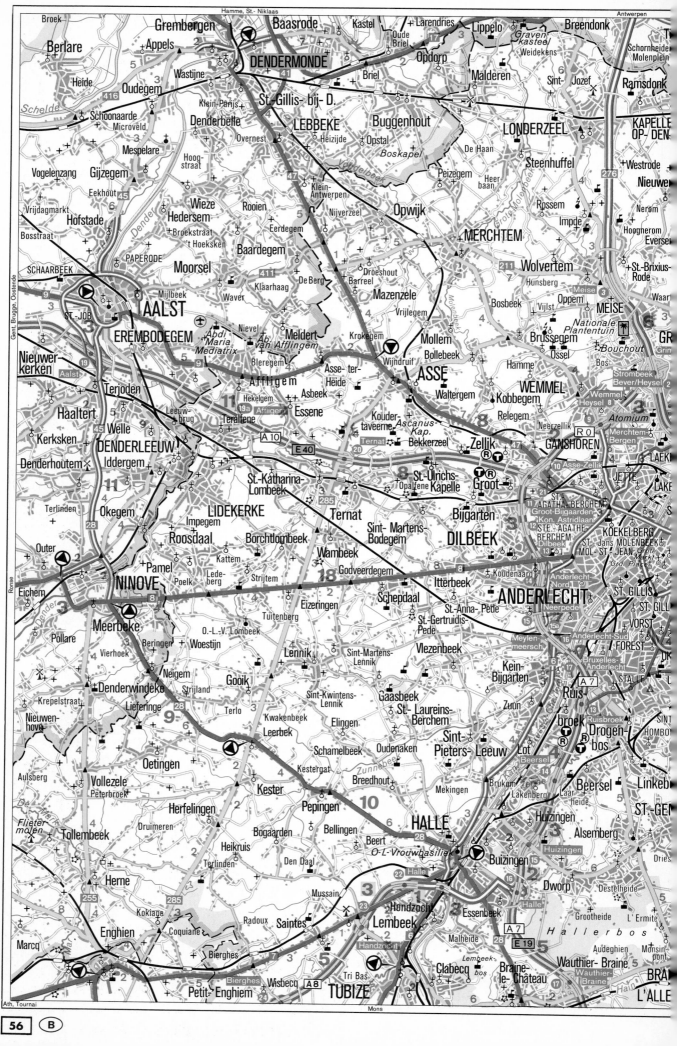

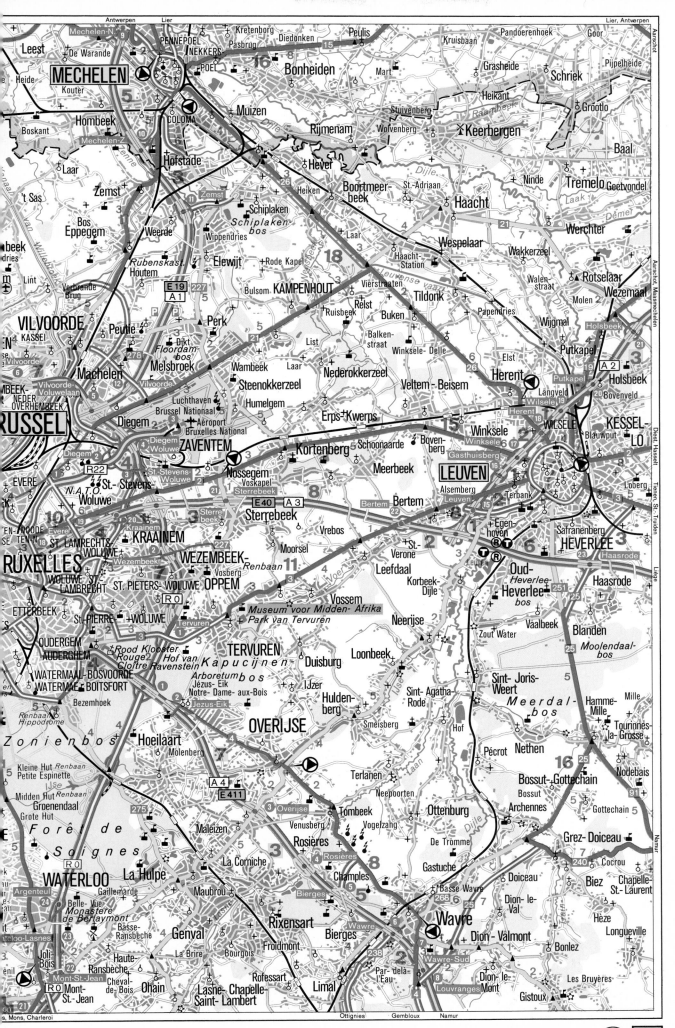

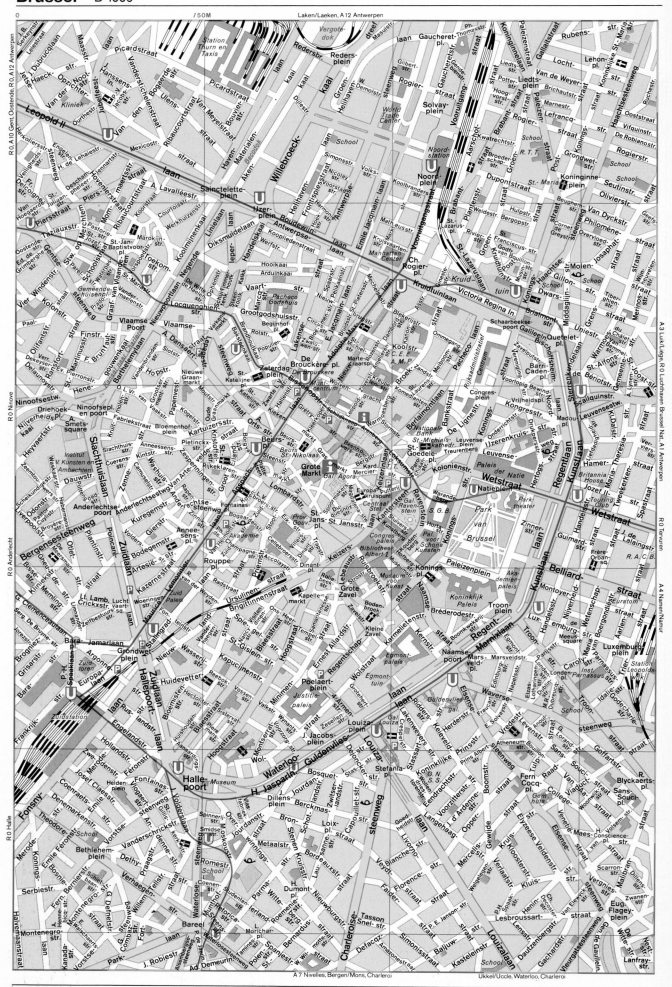

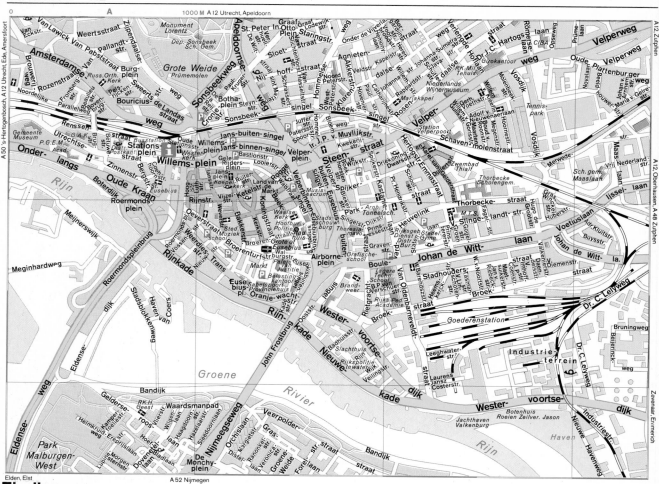

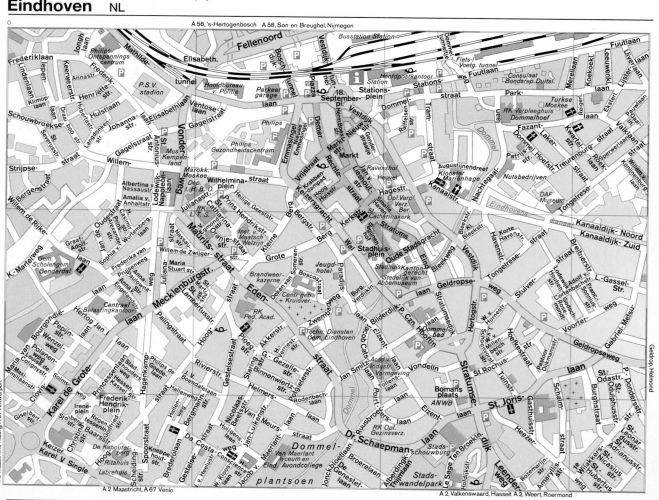

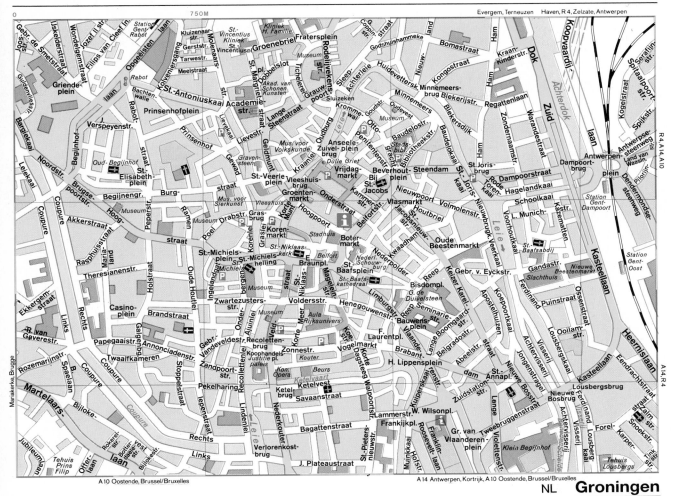

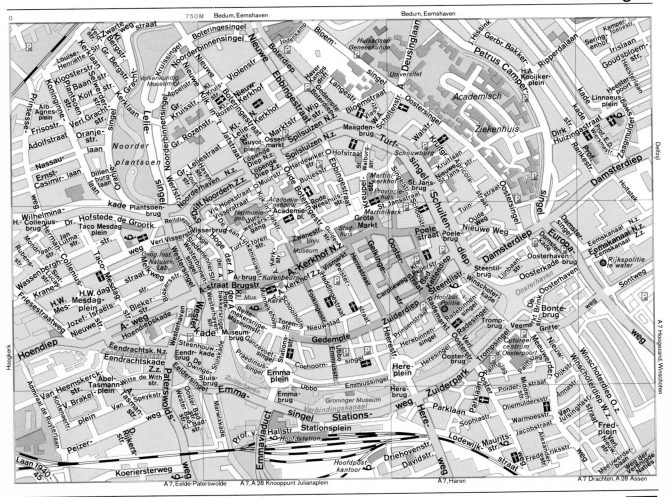

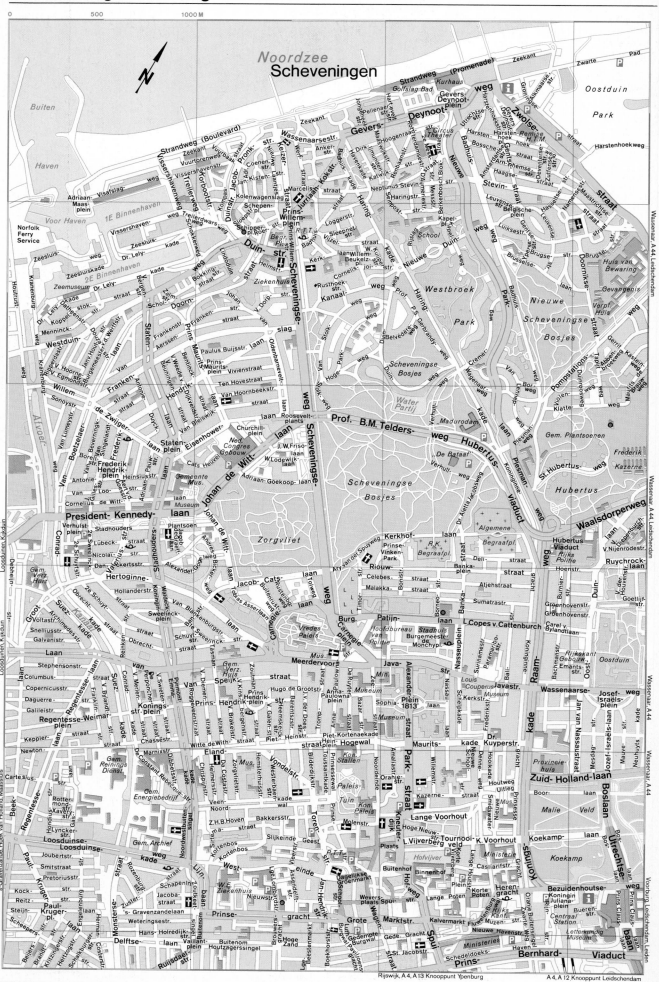

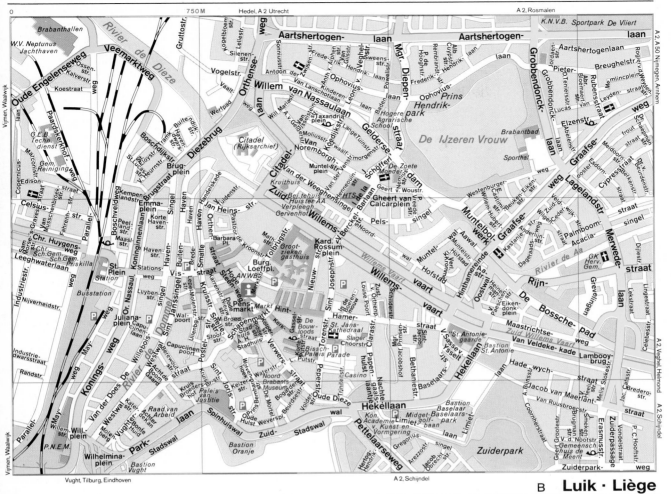

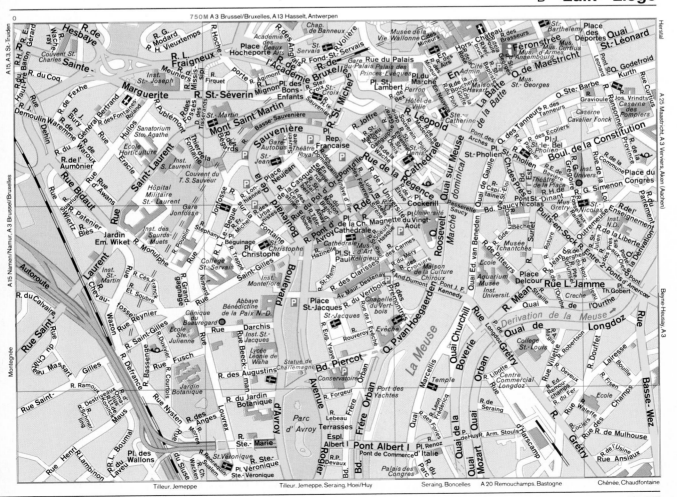

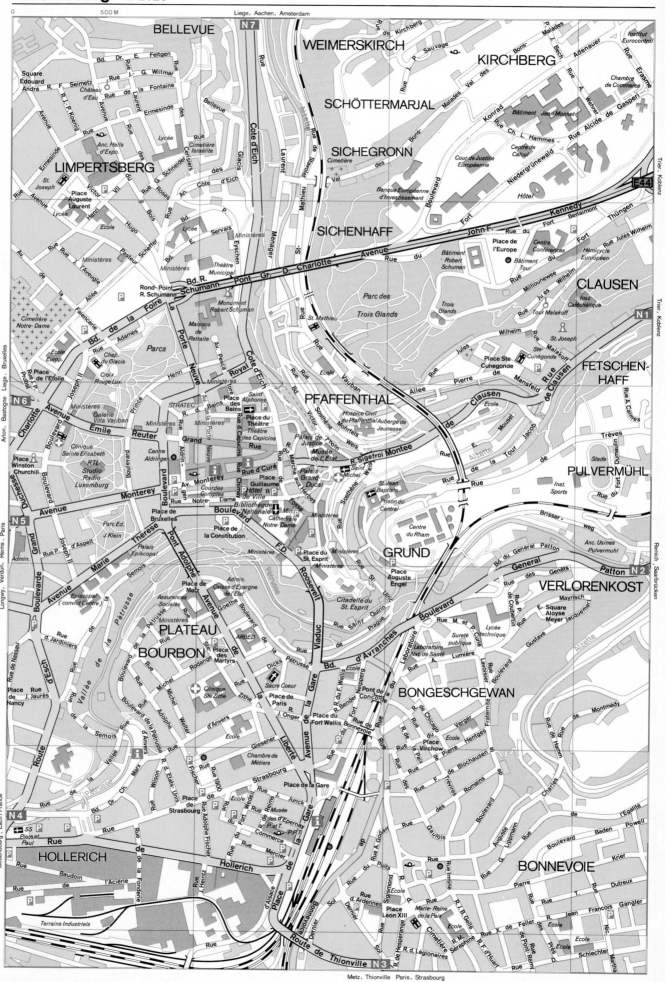

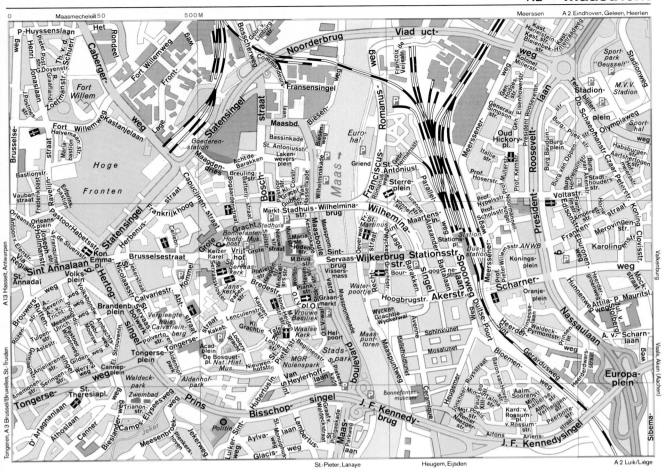

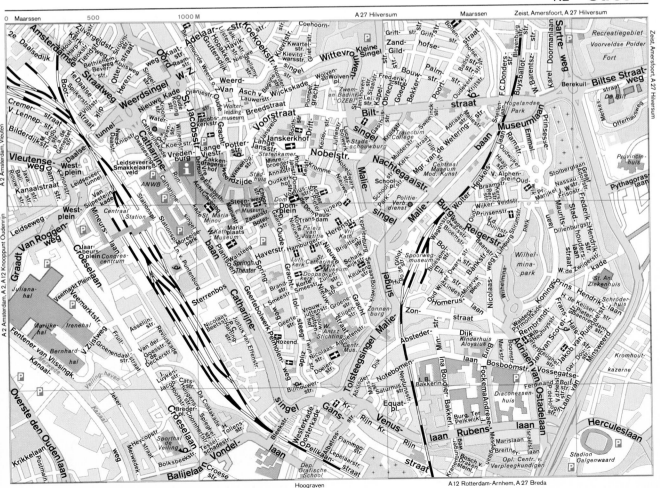

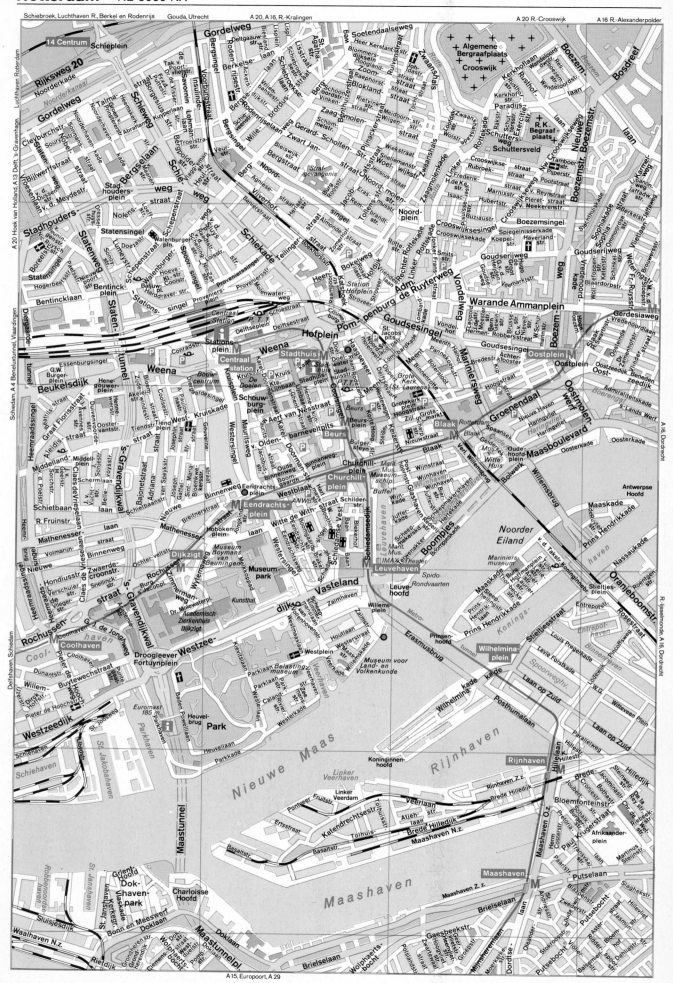

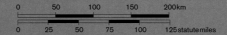

Europa • Europe • Evropa
1:4.500.000

0	50	100	150	200km

0	25	50	75	100	125 statute miles

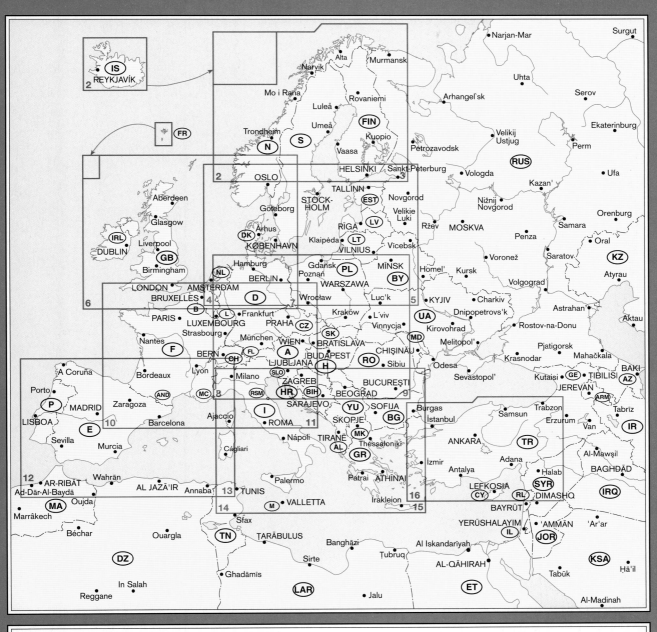

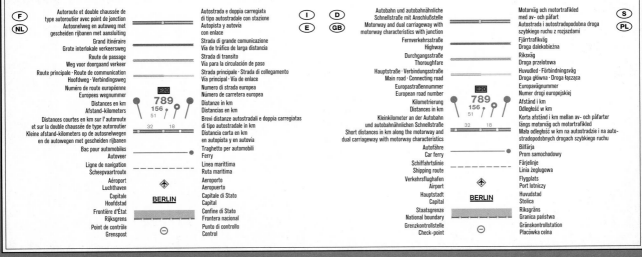

ÍSLAND

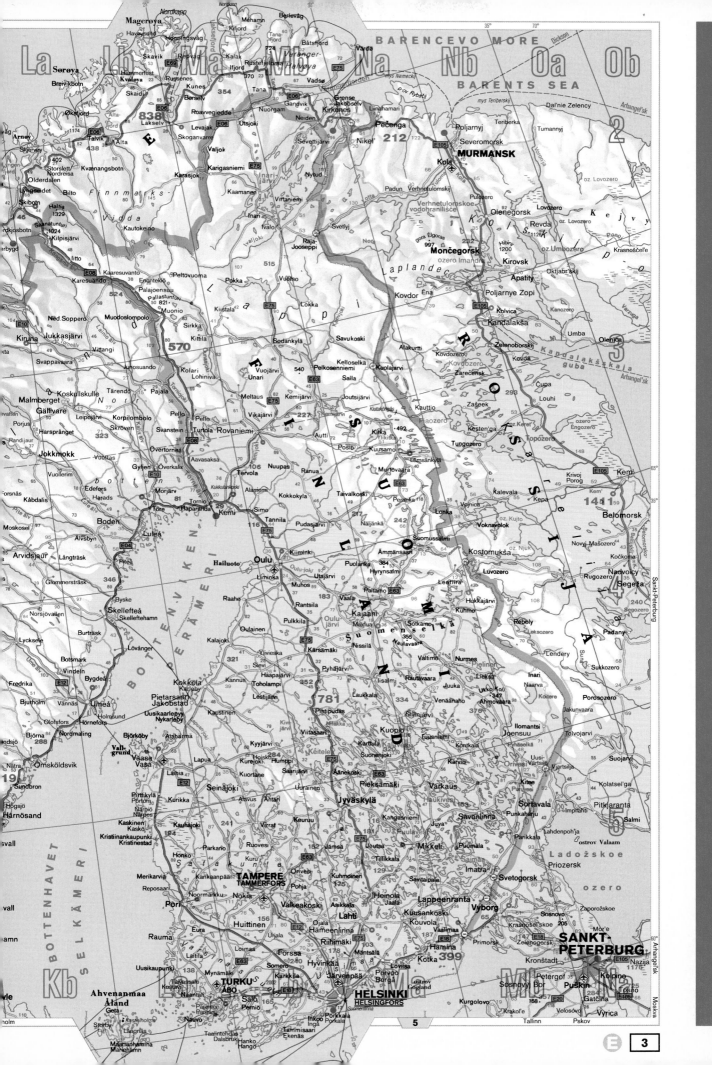

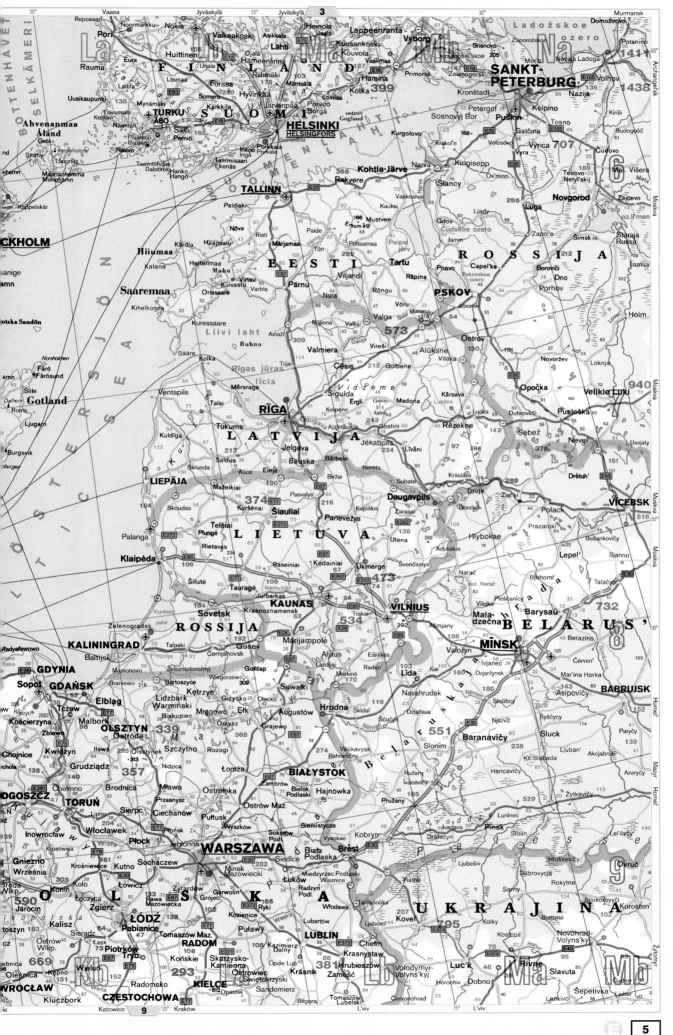

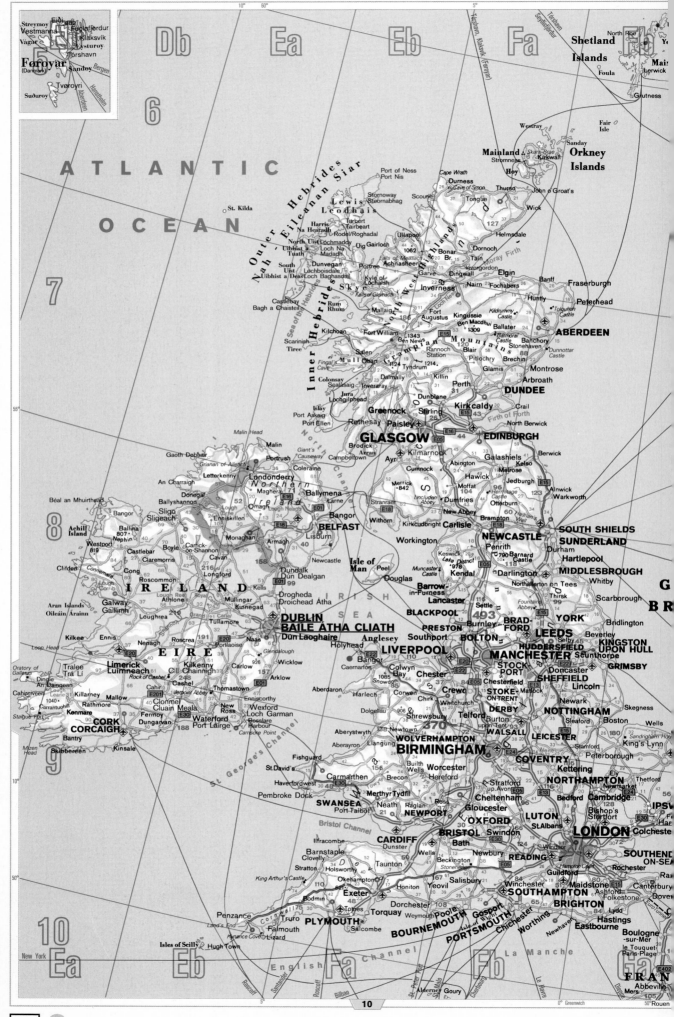

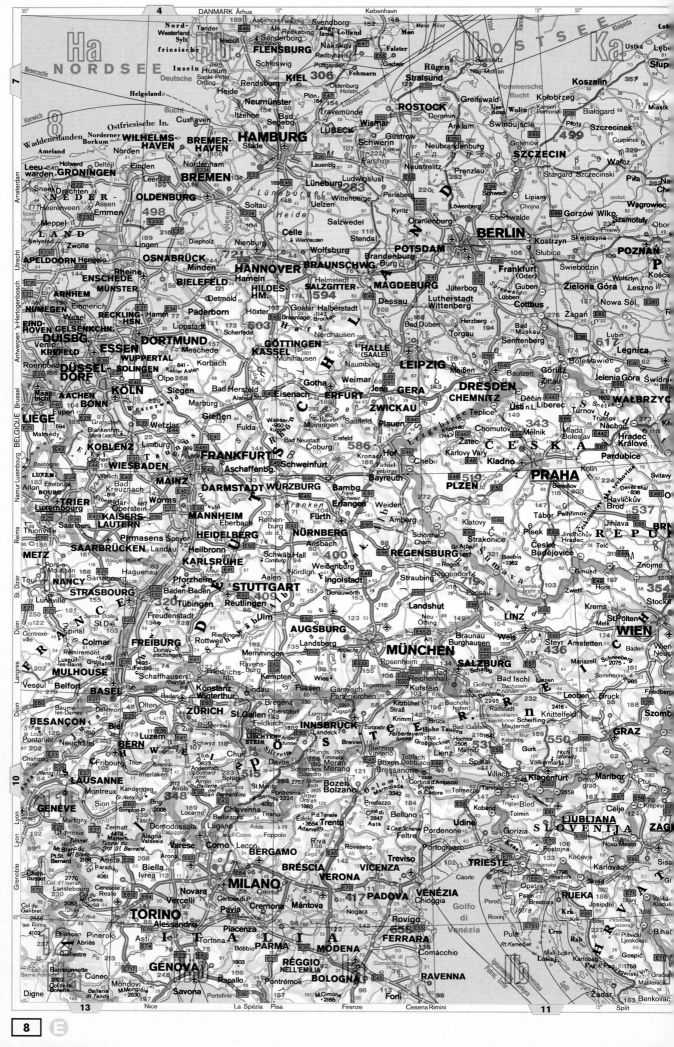

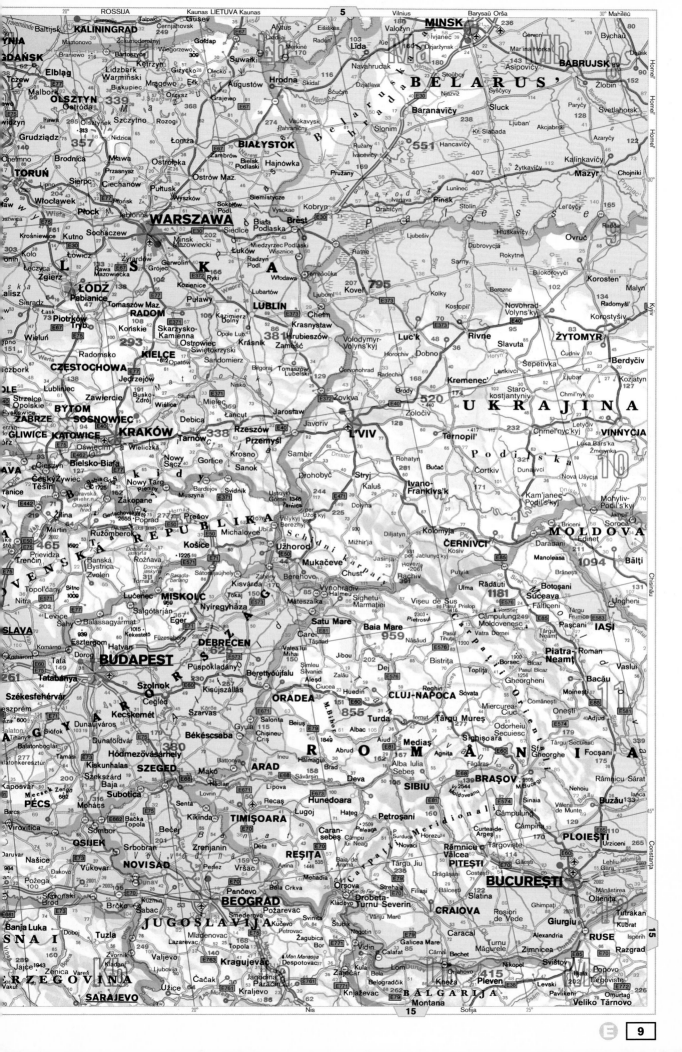

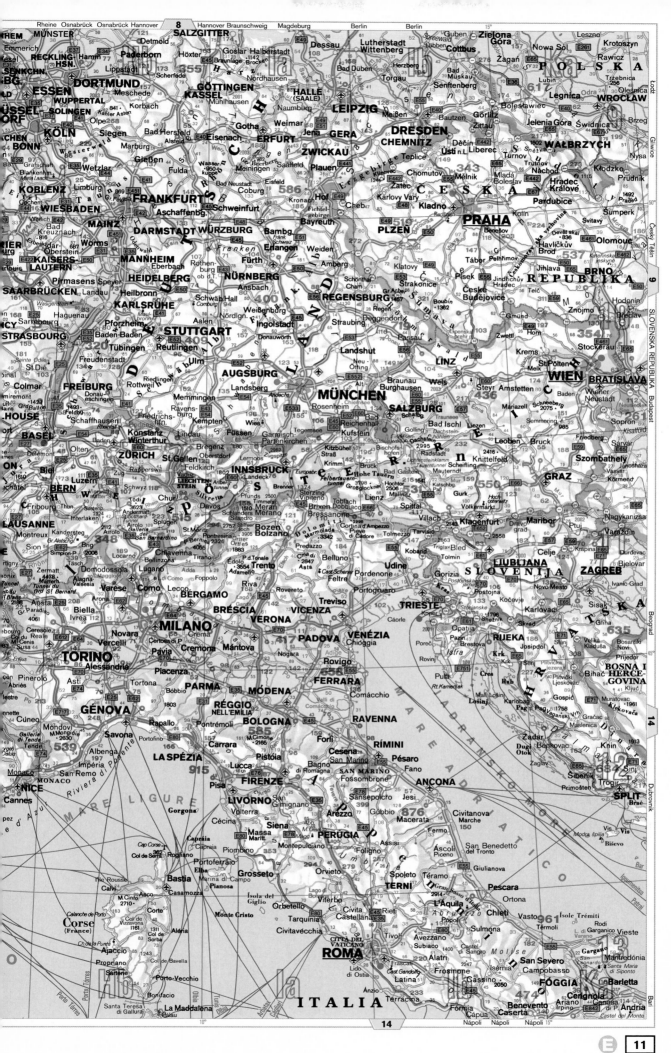

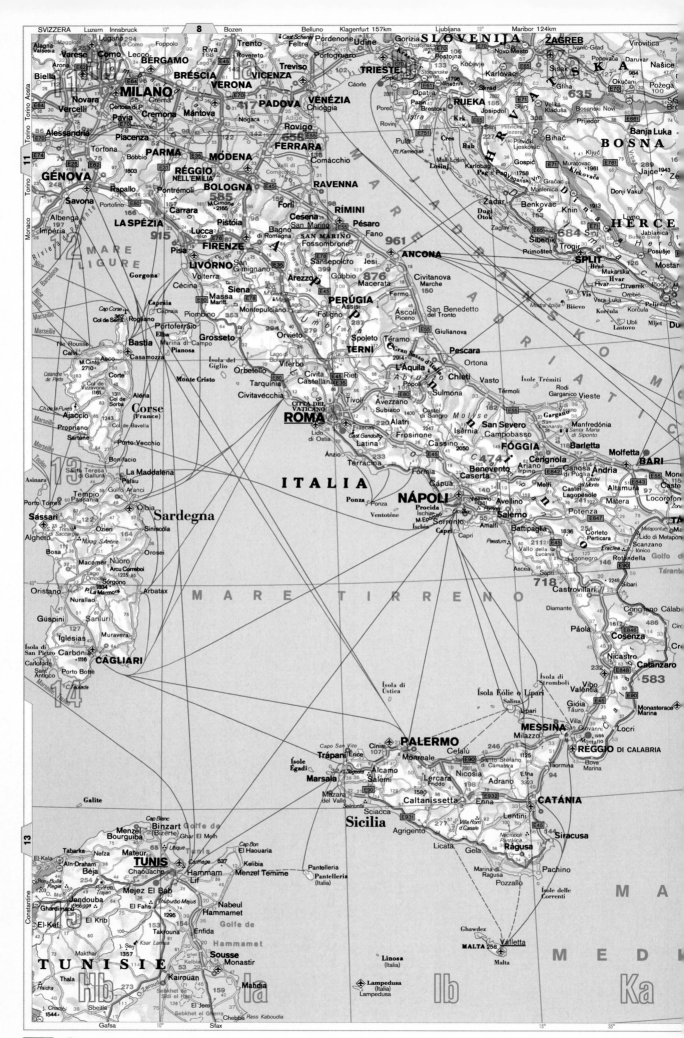

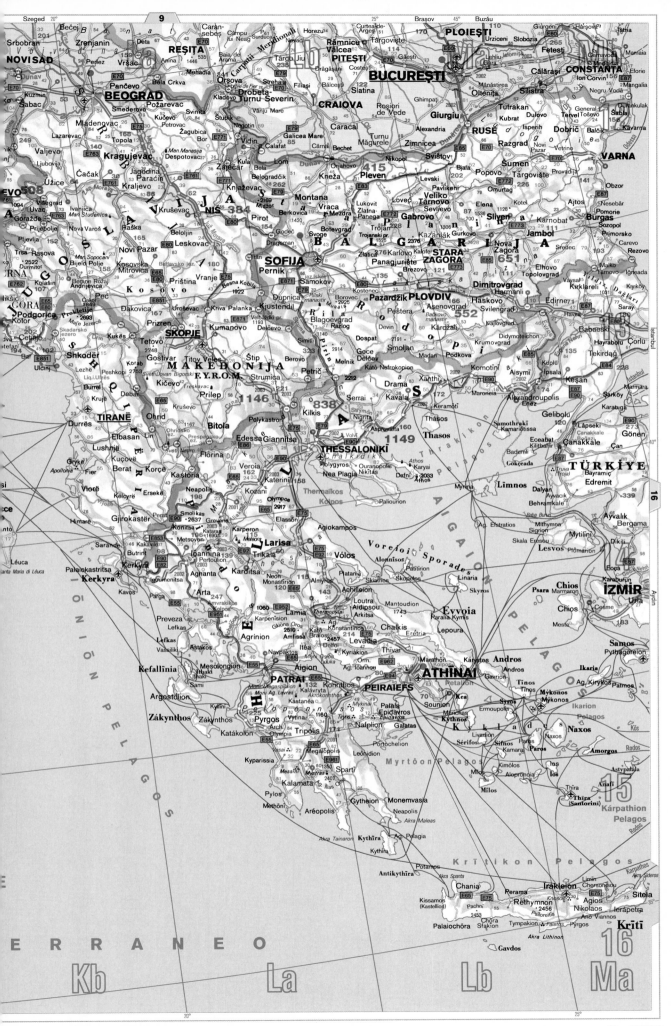

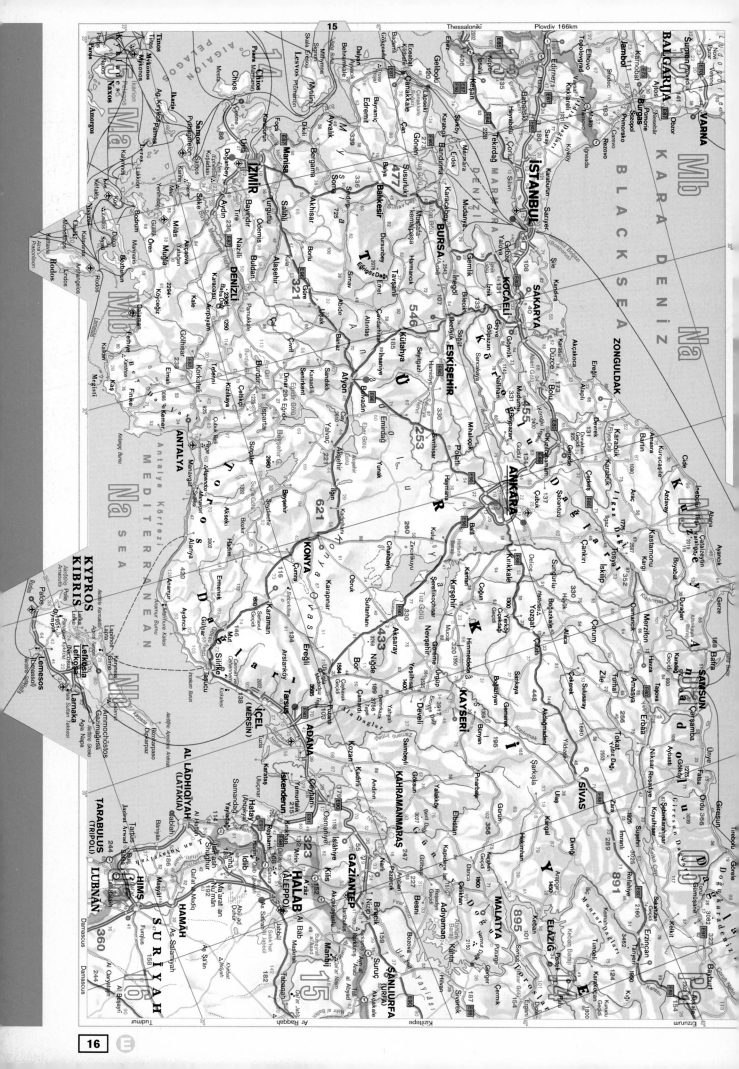